STAN LEE PRESENTA...

LA IMBATIBLE
CHICA ARDILLA

AHORA SÍ QUE ME TIENES

LA IMBATIBLE
CHICA ARDILLA

marvel.com
© 2015 Marvel

100% MARVEL. LA IMBATIBLE CHICA ARDILLA Nº 2
De *The Unbeatable Squirrel Girl* vol. 2, nºs 1-5 (diciembre de 2015 - abril de 2016).
Una publicación de Panini España, S.A. Redacción y administración: C/Vallespí, 20. 17257-Torroella de Montgri (Girona). Telf.: 972 757 411. www.paninicomics.es. MARVEL, all related characters and their distinctive likenesses thereof are trademarks of Marvel Entertaiment, LLC and its subsidiaries, and are used with permission. TM & © 2015, 2016 MARVEL. Licensed by Marvel Characters B.V. www.marvel.com. All rights reserved. Edición española por Panini España S.A. bajo la licencia de Marvel Characters B.V.Todos los derechos reservados. Queda expresamente prohibida la reproducción total o parcial de los textos e ilustraciones incluidos en este libro. Depósito Legal: DL GI 668-2016. ISBN: 978-84-9094-663-3. (SHMMA240). Distribución: SD Distribuciones. C/Montsià, 9-11. 08130-Santa Perpètua de Mogoda. Telf.: 933 001 022. Realización: Forja Digital. Traducción: Joan Josep Mussarra. Impresión: Comgràfic. Impreso en españa/Printed in Spain.

Director de publicaciones: **JOSÉ LUIS CÓRDOBA**. Director editorial de cómics: **ALEJANDRO M. VITURTIA**. Product manager: **PONÇ CUFINYÀ**. Editor Marvel: **JULIÁN M. CLEMENTE**. Responsable de producción: **JORDI GUINART**.

GRUPO PANINI
Presidente del Consejo de Administración: **ALDO H. SALLUSTRO**. Director de publishing europeo: **MARCO M. LUPOI**. Licencias: **ANNALISA CALIFANO** y **BEATRICE DOTI** Coordinación editorial: **LEONARDO RAVEGGI**. Director de arte: **MARIO CORTICELLI**. Preimpresión: **ALESSANDRO NALLI**.

CON UN POCO DE AYUDA DE MIS AMIGOS

La situación actual del mercado del cómic de superhéroes estadounidense, tan desesperado por sacar números 1 cada dos por tres para mantener las ventas y la atención de los lectores, lleva a veces a que se den casos tan peculiares como el de la **Chica Ardilla**, que protagonizó dos números 1 distintos en 2015. Esto resulta aún más confuso puesto que ahora **Marvel** ha prescindido de su numeración por volúmenes, con lo que nos encontramos con dos cómics con el mismo título, la misma numeración, los mismos autores y publicados el mismo año. Se les podría haber ocurrido al menos ponerle el «All-New» en el título para distinguirlos. Vale, es cierto que es la misma protagonista, pero también se da esa circunstancia con **Ojo de Halcón** y en su serie sí que cambiaron el título. Para rematarlo, a pesar de que esta nueva andadura de la serie está circunscrita al **Nuevo Universo Marvel**, como muestra la referencia a que **Doreen** milita ahora en **Los Nuevos Vengadores**, la encarnación de uno de los personajes que aparece en la historia puede llevar a pensar que los hechos tienen lugar con anterioridad a «Secret Wars», como era el caso de la primera serie. En fin, un cacao.

Dejando de lado cuestiones editoriales, el inicio de esta nueva etapa parece una buena excusa para bucear en el origen de todo, es decir, a quién se le ocurrió que un personaje tan marginal como la **Chica Ardilla** debía protagonizar un cómic. «Es gracioso», dice el guionista, **Ryan North**. «**Will Moss**, mi editor, me pidió que le diera una idea para un cómic de la **Chica Ardilla**. Era viernes, creo. Pasé el fin de semana leyendo todos los cómics en los que la **Chica Ardilla** había aparecido y pensando en la **Chica Ardilla** todo el tiempo, y el lunes estaba seguro de dos cosas: quería que hubiera un cómic de la **Chica Ardilla** y quería ser yo el que lo escribiera». El escritor tiene muy claras las razones por las que ha llegado a semejantes conclusiones: «Hay algunas cosas que la hacen genial, pero lo que más me atrajo fue el hecho de que es un personaje de la Edad de Plata en la era moderna: ¡ha acabado teniendo superpoderes, piensa que son fabulosos y está dispuesta a utilizarlos para combatir el crimen! En serio. Me encantó eso. Además, era genial que ella llevara por ahí desde principios de los años noventa, porque mucha gente había oído hablar de ella, aunque solo fuera en algún chiste de pasada. El caso es que planteé el tipo de cómic que quería escribir, ¡y afortunadamente era también el tipo de cómic que ellos querían ver! Es genial cuando las cosas encajan de esta manera: estamos todos en sintonía y ha sido un proceso fantástico».

¿Y qué es lo que nos vamos a encontrar en esta nueva «temporada» de la colección? ¿Qué novedades va a haber con respecto a la anterior? «**Doreen** se compra un sombrero nuevo y, no me malinterpretéis, le encantó cuando lo recibió, pero luego no ha tenido la oportunidad de ponérselo. Le ha parecido demasiado formal para la ocasión y ahora estamos en verano y hace demasiado calooor, ¿así que a lo mejor dentro de unos meses?», bromea la dibujante de la serie, **Erica Henderson**. «¿Ves? Hasta los sombreros que no se ven tienen un trasfondo en nuestro cómic. Este es un universo muy sustancioso», continúa con la broma el guionista. «Dejando de lado el sombrero, va a empezar un nuevo curso, se va a mudar fuera del campus y va a luchar con un cíborg de **Hydra**. Así que, en realidad, va a ser un martes típico para la **Chica Ardilla**».

Otra de las situaciones que se plantea es que **Doreen** pertenezca ahora a uno de los equipos de **Los Vengadores**, cuando en el volumen anterior tuvo que darles una paliza a **Los Héroes Más Poderosos de la Tierra**. «Estaban bajo una influencia ardillesca maligna», justifica **Henderson**. «Así que todo está bien». «Además», apostilla **North**, «cuando te derrota la **Chica Ardilla** te unes a un club muy exclusivo, que tiene miembros como **Lobezno**, **MODOK** o **Galactus**. Así que es un honor. ¿No?».

En esta historia cobra especial importancia **Nancy**, la compañera de habitación a la que presentaron en la primera serie. «¡Me encanta **Nancy**!», confiesa **North**. «Está basada en una amiga mía, una mujer que tiene este tipo de... ¿puedo decir 'megaconfianza'? que respeto de verdad. Es una persona que no tiene miedo a compartir lo que está pensando, que no piensa 'Oh, no, ¿qué pensará esta persona si hago X o qué pensará esta otra sobre Y?'. ¡Y es genial! Tiene los pies en la tierra, y en contraste con **Doreen** funciona muy bien, especialmente cuando estás en el **Universo Marvel**, que es un lugar muy loco en el que vivir. Pensé que alguien como ella y alguien como **Doreen** podrían llevarse realmente bien, a pesar de ser distintas en muchos aspectos».

Con respecto al resto de secundarios, vemos discrepancias entre los autores. «Estarán ahí, al menos hasta que terminen la carrera», opina la dibujante. El guionista discrepa al respecto, en lo que a terminar la carrera se refiere: «'Este es el momento en el que las amistades cambian para siempre'. La única forma de evitarlo es hacer un cambio del tipo *Salvados por la campana: Los años de universidad*, cuando en el último episodio de la serie original los chicos están deseando ir a las prestigiosas universidades en las que los han admitido, y cuando empieza la nueva serie están todos en la misma universidad cutre y nadie habla de ello, todos le echan coraje y la experiencia del instituto nunca termina para estos personajes que están atrapados en una adolescencia eterna de la que no pueden escapar. Y eso es lo peor. Así que lo que podemos decir es que están en el segundo año de carrera de momento y todavía quedan juntos». «Ya estamos en los años de universidad», corrige la dibujante. «Lo próximo que les veremos hacer es intentar encontrar un trabajo en su campo en el clima económico actual que les permita seguir viviendo en Nueva York. Una curiosidad: Para hacerlo, tendrán que vivir todos en el mismo piso. ¿Ves? Se escribe solo».

Por último, en una entrevista para la web de **Marvel**, el guionista y la dibujante detallan un listado de canciones para escuchar con este cómic. Lo más curioso es que, entre ellas, no figura ninguna de **Alvin y las Ardillas** ("Alvin and the Chipmunks" en el original), algo que sería lógico si tenemos en cuenta que **Ardilla Tiocañón** ("Chipmunk Hunk" en el original) es uno de los secundarios. Tampoco está el tema de *Chip y Chop: Rescatadores*. Y lo que es peor: ninguno de los dos incluye en sus listas el tema de la **Chica Ardilla**. Esperemos que no se entere **Doreen** y vaya a verlos para presentar una queja...

Bruno Orive

The Unbeatable Squirrel Girl vol. 2, #1 USA

TIENE SANGRE DE ARDILLA.

HABLA CON LOS ROEDORES.

PODERES DE ARDILLA.

PODERES DE CHICA.

¿CÓMO ES QUE TODAVÍA SE HACEN CASAS DE *MADERA*?

¡SI ES PRECISAMENTE EL MATERIAL QUE SE HA HECHO FAMOSO POR LO BIEN QUE ARDE!

la imbatible **Chica Ardilla**

Guión de RYAN NORTH
Dibujo de ERICA HENDERSON
Dibujo de las tarjetas por JOE MORRIS
Color de RICO RENZI
Cubierta de ERICA HENDERSON
Cubiertas alternativas de CHRIS BACHALO
y TIM TOWNSEND; BEN CALDWELL
y RICO RENZI; JOHN TYLER
CHRISTOPHER; PHIL NOTO

PROTAGONISTA:

Chica Ardilla

Patitas

Nancy Whitehead

Ardilla Tiocañón

Chico Carpa

IDENTIDAD SECRETA: DOREEN GREEN. EH, ALTO, ESA INFORMACIÓN NO ERA PÚBLICA, ¿VERDAD?
FORMACIÓN: ¡ESTUDIANTE DE 2° CURSO DE INFORMÁTICA!
HABILIDADES ESPECIALES: HABLAR CON LAS ARDILLAS, SOLVENTAR ERRORES DE TIEMPO DE COMPILACIÓN.
QUÉ SUELO HACER EL VIERNES POR LA NOCHE: GOLPEAR DELINCUENTES HASTA QUE ABANDONAN SU VIDA DELICTIVA.

IDENTIDAD SECRETA: SOY UNA ARDILLA.
FORMACIÓN: SOY UNA ARDILLA.
LA PRIMERA IMPRESIÓN QUE CAUSO EN LOS DEMÁS: SOY UNA ARDILLA.
LA MAYOR INTIMIDAD QUE ESTOY DISPUESTA A REVELAR: SOY UNA ARDILLA.

IDENTIDAD SECRETA: SÍ, POR FAVOR.
FORMACIÓN: ESTUDIANTE DE SEGUNDO CURSO DE INFORMÁTICA.
QUÉ HAGO EN LA VIDA: SOBRE TODO ESTUDIO, Y ADEMÁS CUIDO DE MI GATITO MIAU.
SEIS ELEMENTOS NECESARIOS EN MI VIDA: MIAU, HACER CALCETA, MIAU, MIAU, DOREEN, MIAU.

IDENTIDAD SECRETA: TOMÁS LARA-PÉREZ.
FORMACIÓN: EST. DE SEGUNDO C. DE INF.
ME PASO UN BUEN RATO DEL DÍA PENSANDO EN: ARDILLAS RAYADAS, TÍOS CAÑONES Y OTROS TEMAS MOLONES.
MÁNDAME UN MENSAJE SI: TE VAN LAS ARDILLAS RAYADAS. SI ES ASÍ, HOLA.

IDENTIDAD SECRETA: KEN SHIGA.
FORMACIÓN: LAS CALLES INMISERICORDES Y LAS TORRES DE MARFIL SE HAN ALIADO PARA INSTRUIRME.
CÓMO ME DEFINIRÍA A MÍ MISMO: DEBELADOR DEL CRIMEN, APASIONADO POR LA JUSTICIA.
LIBROS, PELÍCULAS Y COMICS FAVORITOS: EL OCIO NOS APARTA DE LA JUSTICIA. PERO, EN TODO CASO, LAS AVENTURAS DEL ZORRO.

ESTA PÁGINA DEMUESTRA QUE SI HABÍAS ACUDIDO AL MERCADO A COMPRAR UN CÓMIC QUE TUVIERA COMO PROTAGONISTAS A ESTUDIANTES DE SEGUNDO CURSO DE INFORMÁTICA QUE VAN POR LA VIDA PONIÉNDOSE NOMBRES DE *ANIMALES*... ¡HAS DADO EN EL CLAVO!

¡HOLA! ¡ME LLAMO CHICA ARDILLA!

HOLA... Y YO, COREY. MI MUJER SE LLAMA *EMILY*, Y EL PEQUEÑO, JOEY. ¿ERES... SUPER-HEROÍNA?

¡¡HOLA *CHICA AR-DILLA*!!

HUM...

DISCULPA LA PREGUNTA, PERO, ¿QUÉ PUEDE HACER UNA ARDILLA CONTRA EL *FUEGO*?

¡AH, JA JA!

EN REALIDAD, *NO* SON SUPER-EFECTIVAS.

¡PUES CLARO QUE SÍ! Y PATITAS, QUE ESTÁ ALLÍ, TAMBIÉN. Y TAMBIÉN ESTÁN *CHICO CARPA* Y ARDILLA TIOCAÑÓN, PERO HAN IDO A RESCATAR A LOS DEL PISO DE ABAJO.

PERO BUENO, SUBÍOS *TODOS* SOBRE MIS HOMBROS Y VÁMONOS DE AQUÍ, ¿EH?

¡CHKKK!

HAN VENIDO CON LA *BOCA* LLENA DE AGUA, PERO CON ESO HEMOS GANADO, NO SÉ, UNOS SEGUNDOS.

EH, *JOEY*, ¿TE GUSTA PEGAR SALTOS AL VACÍO?

¡¡ME ENCANTA PEGAR SALTOS AL VACÍO!!

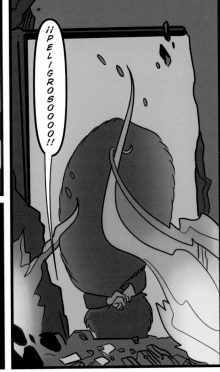

¡¡PELIGROSOOOO!!

PERFECTO. ¡¡AGÁRRATE A MI COLA!!

ESPERA, ESPERA, ESPERA... ¿*QUÉ*...? ¡ALTO! NO PUEDES... ESTO ES...

¡¡YUJUUUU!!

HABÍA PENSADO EN DECIR QUE LA MAMÁ ES UNA *HISTÉRICA*, PERO LA VERDAD ES QUE LA CHICA ARDILLA NO LE HA EXPLICADO QUE UNO DE SUS PODERES CONSISTE PRECISAMENTE EN REALIZAR "SALTOS SUPERBESTIAS", ASÍ QUE, POR LO TANTO, FELICIDADES, MAMÁ. ERES UNA MAMÁ JUICIOSA Y TAN SOLO QUIERES LO MEJOR PARA TU HIJO.

Luego...

¡AY DIOS MÍO HA SIDO BRUTAL! GRACIAS A **NOSOTROS** NO HA MUERTO NADIE EN EL INCENDIO. ¡¡HOY SÍ QUE HEMOS CASCADO NUECES!!

YO NO HE CASCADO NADA. ME HE QUEDADO A NIVEL DE CALLE PARA **COMPROBAR** QUE CADA UNO DE VOSOTROS ESTUVIERA EN EL LUGAR DONDE PUDIERA INTERVENIR CON MAYOR EFICACIA.

¡PUES ESO YA TIENE MÉRITO, NANCY, Y ADEMÁS NO HACE **FALTA** QUE TE METAS CON MI FRASE!

Y HEMOS DESCUBIERTO QUE NO SOMOS **INCOMBUSTIBLES**.

¡EH, SÍ, Y ADEMÁS HEMOS DESCUBIERTO QUE NO SOMOS INCOMBUSTIBLES! ¡LA VERDAD ES QUE NOS HACÍA **MUCHA** FALTA DISPONER DE ESA INFORMACIÓN!!

A PROPÓSITO, TOMÁS, NO HE VISTO A NINGUNA ARDILLA **RAYADA**. ¿DÓNDE ESTABAN?

DONDE LA MAQUINARIA. HAN SACADO LOS TRAPOS IMPREGNADOS DE ACEITE ANTES DE QUE EL **INCENDIO** LLEGARA ALLÍ.

¡CHHHT CHCK CHCK!

NO, NO ESTABAN DE MAL HUMOR. LAS ARDILLAS RAYADAS SE LLAMAN ASÍ POR SU COLOR, NO PORQUE SE RAYEN. YO TENGO SUS **PODERES** Y NO VOY RAYADO POR LA VIDA.

?

OYE, PUES AHORA MISMO ESTÁS **MUY** RAYADO.

¿SABES UNA COSA, PATITAS? PIENSO QUE ME CAÍAS MEJOR CUANDO ESTABA IGUAL QUE CASI TODO EL MUNDO Y NO **ENTENDÍA** NI UNA PALABRA DE LO QUE DECÍAS.

¡**JA**! PUES SÍ QUE ESTÁS RAYADO.

EH, TÍOS, **ESPERAD** UN MOMENTO, NO PODÉIS...

¡**TÍOS**!

ESTO... ¿QUÉ ME DICES, CIUDADANO? ¿QUÉ QUIERES QUE **ENTRE** EN TU PISO Y EMPLEE MI FUERZA SIN PARANGÓN PARA ABRIRTE UNOS TARROS DE MERMELADA CON LA ROSCA DEMASIADO APRETADA?

¡¡PIENSO QUE SÍ, PUEDO HACERLO, AUNQUE NO TE CONOZCA Y DE HECHO NO CONOZCA A **NADIE** MÁS EN TODO EL EDIFICIO!!

ESTE EDIFICIO TIENE CUATRO **NORMAS** MUY SENCILLAS: PROHIBIDO FUMAR, PROHIBIDA LA DESTRUCCIÓN DE PROPIEDADES, PROHIBIDAS LAS BASES DE SUPERVILLANOS Y PROHIBIDO EL TUMULTO DESPUÉS DE LAS ONCE DE LA NOCHE. ASÍ QUE LO SENTIMOS MUCHO, PERO TENDRÉIS QUE BUSCAROS OTRO LUGAR PARA TODO TIPO DE FIESTAS EN LAS QUE SE DESTRUYAN BASES DE SUPERVILLANOS CON GRAN TUMULTO PASADAS LAS ONCE DE LA NOCHE Y EN LAS QUE ENCIMA SE FUME.

ASÍ QUE, *¡TACHÁÁÁN!*, ESTE ES NUESTRO NUEVO HOGAR. TODAVÍA NO HEMOS ABIERTO LAS CAJAS.

¿PERO NO OS MUDASTEIS HACE UNA *SEMANA*?

¡EH, OYE! ¡ESTAS COSAS LLEVAN SU *TIEMPO*!

AQUÍ DENTRO NO HAY NADA

¡¡AQUÍ DENTRO SOLO HAY AIRE!!

AMONIACO (QUE EN FORMA GASEOSA ES MÁS LIGERO QUE EL AIRE, NO SÉ SI LO SABÍAIS)

GLOBOS DE HE (SOBRANTES

amazon.MOM.CAT

¿AHORA COLEC- CIONAS GLOBOS DE *HELIO*?

¡AH, JA JA JA, *NO*!

GLOB

¡¡HELIO!!

LA ÚLTIMA VEZ QUE ME *MUDÉ* TAMPOCO LLEVABA PUESTO EL UNIFORME, Y TODO EL MUNDO ME MIRABA RARO, PORQUE LA GENTE NORMAL NO LLEVA DIEZ CAJAS A LA VEZ, Y ASÍ, ESTO, PUES...

...DISI- MULO.

NOTA DEL EDITOR: ¡VER CHICA ARDILLA #1 USA! ¡QUIERO DECIR QUE VEÁIS EL OTRO CHICA ARDILLA #1 USA, NO ESTE! ¡ES EL DEL TOMO ANTERIOR, ASÍ QUE TAMPOCO OS VA A COSTAR TANTO ENCONTRARLO!

A VECES ME SORPRENDE QUE LOGRÉIS MANTENER VUESTRA *IDENTIDAD* SECRETA.

MIS GAFAS DE SOL DE *OJO DE PEZ* SON UN MEDIO SENCILLO, EXITOSO Y DESCON- CERTANTE PARA DISFRA- ZAR MI VERDADERA IDENTIDAD.

Y LA CHICA ARDILLA TIENE COLA, MIENTRAS QUE DOREEN NO. ¡TAN SOLO TIENE UN TRASERO DE *INFARTO*!

TU TRASERO DE INFARTO, QUE EN REALIDAD NO ES MÁS QUE UNA COLA *ENROLLADA* DENTRO DE LOS PANTALONES.

OYE, *DISCULPA*, ¿CÓMO QUE NO ES MÁS QUE ESO?

SEPAMOS: "TRASERO" ES UN EUFEMISMO PARA "CULO", QUE A SU VEZ ES UN TÉRMINO MÁS COLOQUIAL QUE "NALGAS". Y EL ADJETIVO "CALIPIGIA" ES UN CULTISMO QUE SE UTILIZA EN HISTORIA DEL ARTE PARA DESIGNAR A UNA FIGURA FEMENINA DE BELLAS NALGAS. ASÍ QUE YA LO VEIS, VOSOTROS SOLO QUERÍAIS PASAR EL RATO LEYENDO UN CÓMIC SOBRE ARDILLAS PARLANTES Y EN CAMBIO HABÉIS APRENDIDO A DECIR: "¡PARDIEZ, QUÉ CALIPIGIA ESTÁ LA TÍA!"

AH, DOREEN, ESTE ES TU CÉLEBRE TELEPORTADOR, ¿VERDAD? ES COMO SI DIJERA: "MIRADME TODOS A MÍ, QUE AHORA SOY VENGADORA".

Y ADEMÁS, NO SOY VENGADORA. SOY NUEVA VENGADORA. LOS NUEVOS VENGADORES SOMOS... ESTO... NUEVOS. VENGAMOS CASOS NUEVOS.

EN FIN, NO HAY PARA TANTO.*

NOTA DEL EDITOR: ¡PERO QUÉ MODESTA ES ESTA MOZA! ¡SÍ QUE HAY PARA TANTO! ¡COMPROBADLO EN NEW AVENGERS #1! USA (NUEVOS VENGADORES V2, 1).

¡PORQUE LO ÚNICO QUE GANAS CON ELLO ES ESTE TELEPORTADOR TAN PENOSO, Y NO VALE MUCHO LA PENA, PORQUE HACE MUCHA LUZ Y MUCHO RUIDO, Y EL ÚNICO LUGAR AL QUE TE TELEPORTA ES LA ISLA DE LOS VENGADORES!

NADA MÁS OÍR LA PALABRA "TELEPORTADOR", LES DIJE: "PONEDME EN LA LISTA, COLEGAS NUEVOS VENGADORES", Y TENDRÍA QUE HABER EMPEZADO POR PREGUNTARLES: "¿ME LLEVARÁ A LA LUNA? SÍ / NO".

¡CÁLLATE! ¡SI NI SIQUIERA HE ACABADO DE INSTALARLO!

ESO SÍ, EL ÁREA DE PUESTOS DE COMIDA ESTÁ CHULA. ¿QUERÉIS IR CONMIGO? ¿OS APETECE PROBAR DELICIOSOS MANJARES SERVIDOS EN PLATOS DE CARTULINA? Y...

¡CHICA ARDILLA! ¡CHICA ARDILLA! ¡ES CHICA Y ES ARDILLA! ¿A LOS ÁRBOLES SABE TREPAR? ¡PUES CLARO! ¡Y SIN PESTAÑEAR!

¡NO! ¡¡MIER-DA!!

¿QUÉ? ¿¿QUÉ PASA??

¡QUE ME HABÍA OLVIDADO DE QUE IBA A COMER CON MIS PADRES Y VOY SUPERTARDE!

YA IREMOS A COMER JUNTOS OTRO DÍA. GRACIAS POR LA VISITA.

¡PODRÍAS IR SALTANDO COMO CHICA ARDILLA, DOREEN! ¡ESTARÍAS EN UN MINUTO!

¡NO, NO, PORQUE TAMBIÉN QUIEREN CONOCERTE A TI! MI COMPAÑERA DE PISO QUE ERES TÚ. ¡Y EL TRÁFICO VA LENTÍSIMO!

BUENO VALE NOS VEMOS MAÑANA.

AH NO *NO*.

VEN CONMIGO, NANCY, POR FAVOR.

YO NO QUIERO *CONOCER* A TUS PADRES, DOREEN.

YO SOLO QUIERO SENTARME EN EL SOFÁ CON LAS AGUJAS EN LA MANO Y HACER *PUNTO* Y VER PELÍCULAS MUY ESPANTOSAS MIENTRAS HAGO PUNTO.

Y ADEMÁS, ¿PARA QUÉ QUIERO CONOCER A LOS *PADRES* DE UNA AMIGA? LOS PADRES SON COMO UNA HORRIBLE VISIÓN DE UN MUNDO EN EL QUE LOS AMIGOS SE HAN VUELTO MÁS VULGARES Y ENCIMA HAN ENVEJECIDO. ¡NO, GRACIAS!

¡POR FAVOR! *NO* SERÁ MUCHO RATO, TE LO PROMETO.

¡POR FA-VOOOOR!

UJJ. ESTÁ BIEN. PERO ME VOY A PASAR TODO EL RATO DE BRAZOS CRUZADOS.

¡¡YA ME ESTÁ *BIEN*!!

YOINK

¡PATITAS, SIGUE *DESHACIENDO* LOS PAQUETES MIENTRAS NO ESTAMOS! ¡Y NO DEJES QUE MIAU SE META EN EL TELEPORTADOR! ¡¡NO ES UN VÁTER PARA *GA-TOS*!!

¿CHHT?

THRRRUMMWWWWWWW

SKRRRT

¡¡CHHHHT!!

DICHO CON MAYOR PROPIEDAD: LOS PADRES SON COMO UNA VISIÓN DE UN UNIVERSO ALTERNATIVO EN EL QUE LOS AMIGOS SE HAN VUELTO MÁS VULGARES Y ENCIMA HAN ENVEJECIDO, Y ADEMÁS SE HAN DIVIDIDO EN DOS PERSONAS DISTINTAS. YA LO VES, ES UNA REALIDAD *COMPLICADA*.

Luego...

BUENO, HEMOS QUEDADO EN ESE **RESTAURANTE** DE LA OTRA ACERA. VOY A CAMBIARME RAPIDÍSIMO Y EN SEGUIDA VOY.

¿Y CÓMO SABRÉ **QUIÉNES** SON?

¡¡LO **SA-BRÁS**!!

¡TÚ DEBES DE SER NANCY! AY DIOS MÍO ME **ENCANTAN** ESOS CABELLOS ROJOS.

MI CORAZÓN ENTERO BRILLA... POR LA CHICA ARDILLA

HOLA... ESTO... ¿SRA. GREEN? DOREEN NO ME HA DICHO CÓMO SE **LLAMA** USTED.

AH, ME LLAMO MAUREEN. YA PUEDES TUTEARME. Y ESTOY ENCANTADA DE CONOCERTE, NANCY, CON TODO LO QUE DOREEN ME HA HABLADO DE TI. ES QUE A DOR Y A MÍ NOS GUSTAN MUCHO LOS GATOS, ¿SABES? CUANDO DOREEN ERA NIÑA NO PODÍAMOS TENER UNO, PORQUE **DOREEN** IBA SIEMPRE ARRIBA Y ABAJO CON LAS ARDILLAS, PERO DE TODOS MODOS NOS GUSTAN MUCHO. ¿MIAU NO TIENE PROBLEMAS CON PATITAS?

ES-TO...

NO.

¡QUÉ SUERTE TIENES, NANCY! AH... HE VENIDO **SOLA**. DOR TENÍA MUCHO TRABAJO Y NO HA PODIDO.

NO PASA NADA Y...

...UN MOMENTO... ¿SOIS LOS PADRES DE **DOREEN** Y OS LLAMÁIS "DOR" Y "MAUREEN"?

¡ES QUE NO SABÍAMOS QUÉ NOMBRE PONERLE! Y ENTONCES PENSAMOS QUE ERA NUESTRA NIÑA Y QUE POR QUÉ NO **PODÍAMOS** JUNTAR NUESTROS DOS NOMBRES.

ES... ES LO MÁS **ADORABLE** QUE HE OÍDO EN MI VIDA.

¡EH, PUES TENEMOS DOCENAS DE HISTORIAS BONITAS SOBRE DOREEN! ¿NO TE HA CONTA-DO NUNCA LA QUE LLAMOS LA **PRIMERA** VEZ QUE LE PASAMOS EL SECADOR POR LA COLA?

MAUREEN...

...NO SABES LAS **GANAS** QUE TENGO DE OÍR ESA HISTORIA.

SIENTO LLEGAR TARDE, ES QUE CUESTA MUCHO ENCONTRAR UN BAÑO PÚBLICO EN ESTA CIUD...

Y AQUÍ TENÍA NUEVE MESES. POR AQUEL ENTONCES YA *TREPABA*, ¿LO SABÍAS?

¡UALA! DEBE DE SER UNO DE SUS PODERES *MUTANTES*.

NO, QUÉ VA, *DOREEN* NO ES MUTANTE. ¿NO TE LO HA CONTADO?

¡¡MAMÁ!!

DOREEN ALLENE GREEN, NO TE *AVERGÜENCES* DE QUIÉN ERES, NI DE LO QUE ERES.

¡ESO YA LO SÉ, MAMÁ! PERO ES UNA HISTORIA *RIDÍCULA* Y NO SÉ POR QUÉ INSISTES EN CONTARLA.

VERÁS, NANCY, COMO DOREEN NACIÓ CON COLA PENSAMOS QUE SERÍA MUTANTE, Y LA LLEVAMOS AL DR. DITRAY PARA QUE LE HICIESE *PRUEBAS*. PERO EL DOCTOR DESCUBRIÓ QUE NO LO ERA, Y QUE LO QUE LE HABÍA OCURRIDO ERA ALGO DISTINTO.

MI CORAZÓN ENTERO BRILLA...

¿Y *QUÉ* ERA?

AH, YA NO ME ACUERDO. ALGO DE SU ARN, O DE SU *ADN*, O... NO SÉ, SEGURO QUE DOR SE ACUERDA.

PERO, EN DEFINITIVA, MI NIÑA ERA TODAVÍA MÁS ESPECIAL DE LO QUE HABÍA PENSADO. ¿QUÉ FUE LO QUE DIJO EL *DOCTOR*, DOREEN?

NO ME *ACUERDO*, MAMÁ. PROBABLEMENTE PORQUE TENÍA DÍAS DE VIDA.

AHORA ME ACUERDO: "MÉDICA Y LEGALMENTE, DOREEN NO ES MUTANTE, Y ESO *NO* LO PUEDO CAMBIAR".

PUES QUÉ *BIEN*, MAMÁ. ¿COMEMOS?

PLATOS PEQUEÑOS

AH, YA HE COMIDO ANTES DE VENIR. ESTOS RESTAURANTES SON TAN CAROS, DOREEN... TEMÍA QUE ME INVITARAS.

¡POR FAVOR, *MAMÁ!* ME HAS HECHO VENIR POR NADA.

PUES YO HE VENIDO PARA OÍR *HISTORIAS* SONROJANTES Y VER FOTOS DE BEBÉS.

¿SABES, MAUREEN?, RECONOZCO CON GRAN VERGÜENZA QUE HACE UN RATO HE INSINUADO QUE LOS *PADRES* DE LOS AMIGOS TIENDEN A ABURRIRME, Y ME ALEGRO DE PODER DECIR QUE ESTABA EN UN GRAN, GRAN ERROR.

AY DIOS MÍO

Y ADEMÁS, EL MÉDICO NO TENÍA CLARO SI LOS CAMBIOS FUERON PROVOCADOS POR EL MORDISCO DE LA ARDILLA, O POR LOS RAYOS CÓSMICOS EN EL BOSQUE, O POR EL SUERO EXPERIMENTAL DE FRUTOS SECOS, O POR VAYA USTED A SABER POR QUÉ. LOS NUEVE MESES DEL *EMBARAZO* DE MAUREEN FUERON... MUY ACCIDENTADOS, EN DEFINITIVA.

¡GRRRRRRRRR!

ESTOS ANIMALES SON VILES Y RUINES Y *EMPEZARÉ* POR CONSUMIRLOS A ELLOS.

¡CHCKKKK! ¡CHCKKKCHKKK!

¡¡PATITAS!!

¡¡MIAU!!

¡NADIE!

¡AMENAZA!

¡¡CON COMERSE A MIS AMIGOS!!

¡¡MIRA, TÍO, NO SÉ QUIÉN ERES, NI POR QUÉ TIENES TANTO INTERÉS EN *PRESUMIR* DE CEREBRO Y OJOS, PERO ESTO SE HA ACABADO!!

UN GESTO TAN FÚTIL COMO TRATAR DE ROMPER CRISTAL IRROMPIBLE SUBRAYA *TODAVÍA* MÁS LA LOCURA QUE NOS ENVUELVE.

UNA TAL *VULGARIDAD* NO HA LUGAR EN ESTE SITIO.

¡¡GUAU!!

EL CAOS Y EL ASESINATO SON LAS *ÚNICAS* INVENCIONES DE LA NATURALEZA QUE LA HUMANIDAD TAL VEZ LLEGUE A COMPRENDER ALGÚN DÍA.

¡MAUREEN!

MI CORAZÓN ENTERO BRILLA... POR LA CHICA ARDILLA.

¡HAGA EL FAVOR DE SOLTARME, *INDESEABLE*!

¡VENGA! ¡BUSCA SU TARJETA, NANCY! ¡TENGO QUE SABER SUS DEBILIDADES!

¡¡ESTOY EN *ELLO*, ESTOY EN ELLO!!

HISSS

¡¿SABES?, TODO ESTO SERÍA MÁS *FÁCIL* SI LAS MEMORIZARAS!

SÍ, CLARO, PORQUE LAS ARDILLAS SON CONOCIDAS PRECISAMENTE POR SUS *ASOMBROSAS* CAPACIDADES MNEMOTÉCNICAS, ¿VERDAD?

...HAY ESPECIES DE ÁRBOLES QUE CONFÍAN PRECISAMENTE EN ELLO: LAS ARDILLAS LES ROBAN LAS NUECES, CASTAÑAS, BELLOTAS Y DEMÁS, LAS ENTIERRAN, ¡Y OLVIDAN POR COMPLETO DÓNDE LAS HABÍAN ENTERRADO! ASÍ LOS ÁRBOLES PUEDEN EXTENDERSE A OTROS PARAJES. YA LO VEIS: EN UN SOLO EPISODIO HABÉIS AMPLIADO VUESTRO CONOCIMIENTO DEL MUNDO DE LAS ARDILLAS Y VUESTRO VOCABULARIO SOBRE CULOS. CON TODA SINCERIDAD: *SPIDERMAN* NO NOS LLEGA A LA SUELA DE LOS ZAPATOS.

EN CAMBIO, SI HUBIERA DICHO "IRRACIONALES EMISIONES SONORAS DE UNA ARDILLA PARLANCHINA" LE HABRÍA SALIDO UN *INSULTO* MÁS APROPIADO. YO SOY LA CHICA ARDILLA, NO LA SEÑORA BATALLADORA BOVINA. DE TODOS MODOS EL NOMBRE DE ESTA ÚLTIMA ESTÁ GENIAL Y ESTOY MUY INTERESADA EN SABER MÁS SOBRE SUS PODERES Y ESTILO DE VIDA.

YO...

...HABRÍA ESPERADO MÁS CROMO Y LED AZULES, Y NO ESE **MANOJO** DE CABLES TAN CUTRE.

AY, ME HA SALIDO TAN PREVISIBLE QUE NI SIQUIERA TENÍA GRACIA.

¡CHHHHTTTT!*

LAS AMBICIONES DE ESTE ROEDOR SON PURA LOCURA, PURA FUTILIDAD... Y SIN EMBARGO ME INSPIRAN CIERTA SATISFACCIÓN, PORQUE, QUÉ SOMOS **NOSOTROS**, SINO ROEDORES QUE SE AGOLPAN SOBRE LA SUPERFICIE INDIFERENTE DE LA TIERRA.

*TRADUCCIÓN: ¡¡AL **ATAQUE**!!

¡¡CHCKKT!!*

*TRADUCCIÓN: "¡¡TOMA BELLOTA, **CAPULLO**!!"

CHOMP

¿CHCKT CHHHHT CHTTTT? ¡¡CHCK **CHCKK**!!*

CHUKK.**

*TRADUCCIÓN: ¿TE CREÍAS QUE NO IBA A MASTICAR UNOS CABLES? ¡¡SI HASTA HE MASTICADO LOS CABLES DE ACERO DE **MODOK**!!

** TRADUCCIÓN: "¡Y LO HICE SOLO COMO **DIVERTIMENTO**!"

CHOMMMP

YO... YO... YO... YO... YO... YO...

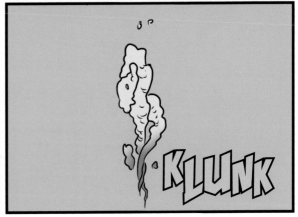

KLUNK

POR SI ACASO OS PREGUNTABAIS QUIÉN ES MODOK: ES UNA CABEZA **GIGANTESCA** QUE VIAJA SOBRE UNA SILLA VOLADORA. DICE QUE SU NOMBRE SON LAS SIGLAS EN INGLÉS DE "ORGANISMO MENTAL DISEÑADO EXCLUSIVAMENTE PARA MATAR", PERO NUNCA HA SALIDO AL PASO DE LOS RUMORES DE QUE EL VERDADERO SIGNIFICADO ES "ORGANISMO MENTAL DEDICADO EXCLUSIVAMENTE A BESAR".

Después...

BUENO, PUES...

¿...DE QUÉ *DIABLOS* VA TODO ESTO?

MI CORAZÓN ENTERO BRILLA... POR LA CHICA ARDILLA.

HABLABA MUCHO SOBRE *CAOS* Y ASESINATO.

SÍ, ESTÁ CLARO QUE ESE TEMA LE OBSESIONA. PERO ¿CON QUÉ PLAN *VENÍA*? ¿ES UN TÍO QUE ENTRA EN CASAS AL AZAR, RAPTA UN PAR DE MASCOTAS Y UN PAR DE MADRES Y OBSERVA LAS REACCIONES?

CARIÑO... A TI NO TE HA *ATACADO*.

¿QUÉ ESTÁS DICIENDO? ¡PERO SI ME HA DADO CON UNA *PUERTA*! ¡ME ESTABA ARREANDO COMO UN LOCO! ¡SI NO LLEGA A SER POR MI AGILIDAD DE ARDILLA, ME HABRÍA...

ESO HA SIDO DESPUÉS DE QUE SALTARAS SOBRE ÉL, DOREEN. ¿*CÓMO* IBA A SABER QUE TÚ ESTARÍAS AL OTRO LADO DE LA PUERTA?

MI CORAZÓN ENTERO BRILL... POR LA CHIC... AR...A.

¡PERO HABÍA AGARRADO A MIAU! ¡Y A *PATITAS*! ¡Y LUEGO TAMBIÉN A TI!

¿Y ACASO LES ATACABA? ¿ME HA HECHO ALGÚN DAÑO A MÍ, A *PATITAS* O A MIAU?

¡HA DICHO QUE SE LOS IBA A *COMER*, MAUREEN!

NANCY, CARIÑO...

¿CON QUÉ *BOCA*?

MI COR...N ENTERO B... POR LA CHIC... ARDILLA.

Y ADEMÁS, ¿CON QUÉ DIENTES? ¿CON QUÉ TUBO DIGESTIVO? ESTÁ CLARO QUE DE LA BOCA DE ESTE TÍO (QUE POR CIERTO, NO EXISTE) SALEN PROMESAS QUE LE SERÁ MUY DIFÍCIL, O TOTALMENTE *IMPOSIBLE* CUMPLIR.

EXISTE UNA MÍNIMA POSIBILIDAD QUE LA FANTASÍA DE CUERPO ROBOT DE NANCY SEA IDÉNTICA A LA FANTASÍA DE CUERPO ROBOT / HOJA DE ESPECIFICACIONES / DISEÑO QUE HE PUESTO SOBRE PAPEL, LLEVO A TODAS PARTES Y ES EL OBJETO CONSTANTE DE MIS PENSAMIENTOS.

¡ESCENA DE MONTAJE EN LA QUE SE REPARA UN ROBOT!

Y ASÍ, DESPUÉS DE QUE LA TUNDRA CANADIENSE SE DECIDIERA A ABRIR LA MANO HELADA CON LA QUE ME SUJETABA, TRATÉ DE *ENCAMINARME* A OTRO LUGAR, PERO IGUAL QUE EL SOÑADOR QUE NO TIENE CONSCIENCIA DE SU SUEÑO, MIS MOMENTOS DE LUCIDEZ ERAN DEMASIADO BREVES.

¿Y QUERÍAS VENIR A *NUEVA YORK*?

AL PRINCIPIO NO, PERO OTROS ME DIJERON QUE AQUÍ SABÍAIS... AYUDAR. *HIPO EL HIPOPÓTAMO* HABLA MUY BIEN DE VOSOTROS.

¡ANDA! ¿CONOCES A *HIPO*? ¿CÓMO ESTÁ?

CONSAGRA SU VIDA A DESTRUIR LOS DETRITUS RECHAZADOS POR LA CIVILIZACIÓN Y HA DESCUBIERTO CON ELLO UNA MANERA DE PARTICIPAR.

¡AH, QUÉ BIEN! ¡¡ENTONCES ESTÁ TRABAJANDO EN *DERRIBOS*!!

MI PROBLEMA ERA EL SIGUIENTE: CUANDO LOS *ALIENÍGENAS* ME RECONSTRUYERON, UTILIZARON EL LIBRO "VISIÓN EN ROJO: GUÍA DE LA FILOSOFÍA DE HYDRA POR EL CRÁNEO ROJO" QUE LLEVABA ENCIMA EN AQUEL MOMENTO...

...Y EN ESE MISMO INSTANTE LA FILOSOFÍA DE *HYDRA* QUE HABÍA ESTUDIADO QUEDÓ PROGRAMADA EN MI CUERPO.

ENTONCES ¿NO ERAS UN *VERDADERO* AGENTE DE HYDRA?

NO. TENGO QUE RECONOCER QUE *SÍ* LO FUI.

PERO, A DIFERENCIA DE TODOS LOS DEMÁS, NO PODÍA CAMBIAR, NI EXPIAR MIS *CRÍMENES*, PORQUE MI MENTE CRECÍA, PERO MI CUERPO SEGUÍA IGUAL, SUS PROTOCOLOS DE AUTODEFENSA Y DE DIVAGACIONES NIHILISTAS DE AUTODEFENSA NO ENCAJABAN CON MIS NUEVAS METAS.

"YO PODÍA CAMBIAR, PERO MIS ACCIONES NO CAMBIABAN, Y ASÍ SE ME HURTÓ LA MAYOR GENTILEZA QUE NOS OFRECE LA VIDA: LA CAPACIDAD DE APRENDER DE NUESTROS *ERRORES* Y NO REPETIRLOS.

"¿RECORDÁIS LA PERSONA QUE ERAIS HACE DIEZ, INCLUSO HACE *CINCO* AÑOS?

SÍ.

"¿PODÉIS IMAGINAR QUE OS OBLIGARAN A SER ESA PERSONA PARA *SIEMPRE*?"

¡¡¡3... 2... 1...! *FELIZ AÑO NUEVO!!!*

NO. DECIDIDAMENTE, *NO*.

DOREEN Y NANCY NO TENÍAN EN CASA PRENDAS DE VESTIR DE LA TALLA DE UN HOMBRE ROBOT GIGANTESCO Y RARO, Y LO HAN APAÑADO CON LO QUE HAN PODIDO ENCONTRAR. ¡YO, PERSONALMENTE, PIENSO QUE HAN HECHO UN TRABAJO *ESTUPENDO*!

Aquella misma noche, en la Isla de los Vengadores...

MAUREEN PUEDE VENIR DE VISITA SIEMPRE QUE QUIERA, *DOREEN*. YO MISMA PIENSO INVITARLA SIN DECIRTE NADA.

Y VOSOTROS DOS ESTAD ATENTOS A LO QUE DIGO, TOMÁS Y KEN, PORQUE ME GUSTARÍA *CONOCER* AL PAPI Y A LA MAMI DE CHICO CARPA Y ARDILLA TIOCAÑÓN. ¿HA QUEDADO CLARO?

POR LA *CERVEZA DE ODÍN*

PROGRAMA GOFRES

SOPA THOR ENSALADA

EH, ESTE LUGAR ESTÁ *FANTÁSTICO*.

¡AH, NO HA SIDO *NADA*! PERO... GRA-CIAS, TOMÁS.

VAMOS A PRO-BAR LOS "VENGADO-RES DE LOS GRANDES BIZCOCHOS" Y LUEGO NOS VEMOS AQUÍ, ¿*VALE*?

ESTÁ CLARO QUE NO VOY A RECUPERAR EL TELÉFONO *MÓVIL*, ¿EH?

ESTÁ CLARO QUE *NO*.

ENTONCES ¿ME PODRÍAS PRESTAR UN MOMENTO EL TUYO? QUIERO SACAR UNA FOTO. MIS SEGUIDORES TIENEN QUE *SABER* QUE COMO EN LOS PUESTOS DE COMIDA MÁS PRES-TIGIOSOS.

GRACIAS. ¿SABES?, ESTABA A PUNTO DE DECIR QUE ESTE AÑO VA A SER MUY RARO, PORQUE IREMOS A CLASE CON UN EXHYDRA QUE VA CON EL *CEREBRO* METIDO DENTRO DE UN TARRO, PERO DE TODOS MODOS YO YA PRESENTÍA QUE IBA A SER RARO. PERO NO PASA NADA. LO RARO ES BUENO.

LO *RARO* ES BUENO. Y ESTE AÑO VA A ESTAR GENIAL.

VAMOS, *NANCY*.

ESTE AÑO *CASCA-REMOS* NUECES.

SÍ... Y YO VOY POR UNA *HAMBURGUESA*.

¡NANCY! ¡¡EL EPISODIO TENÍA QUE TERMINAR CON MI FRASE!!

iFin

En el próximo episodio, Chica Ardilla y Patitas retrocederán en el tiempo.

¡Y NO PORQUE NOS *APETEZCA*!

¡¡Y no porque les apetezca!!

The Unbeatable Squirrel Girl vol. 2, #2 USA

Doreen Green no es una simple estudiante de primer año de Informática. ¡Tiene en secreto los poderes de una chica y de una ardilla! Y utiliza sus asombrosas habilidades para luchar contra el crimen y estar irresistible. La conoceréis como... ¡la imbatible Chica Ardilla! Vamos a ver el resumen de lo que ha hecho hasta ahora...

la Chica Ardilla en dos palabras

¡Chica Ardilla @imbatibleca
Los filósofos dicen cosas del tipo "imagínate si no fueras más que un cerebro en un tarro y la realidad fuera falsa guauuu"

¡Chica Ardilla @imbatibleca
Pero ¿y si fuéramos un cerebro en un tarro con un CUERPO ROBOT SUPERPODEROSO? ¡Qué fuerte! ¿¿La filosofía ha imaginado algo tan... BRUTAL??

¡Chica Ardilla @imbatibleca
Bueno todo esto lo decía para contaros que he peleado con un cerebro en una jarra con cuerpo de robot y que ha sido brutal, y que se llama Werner y ahora somos amigos, todo bien.

¡Chica Ardilla @imbatibleca
@starkmantony ¡eh Tony tengo una gran idea! ¿Y si en vez de ponerte armadura de Iron Man metieras tu cerebro en una jarra y LA JARRA en una armadura?

¡Chica Ardilla @imbatibleca
@starkmantony te ahorrarías megadólares en trajes de hierro y ADEMÁS tus enemigos tendrían que disparar a un objetivo más pequeño (ventaja táctica)

¡Chica Ardilla @imbatibleca
@starkmantony en vez del "hombre de hierro" serías el "seso de hierro" y volarías por la ciudad resolviendo problemas matemáticos

STARK **Tony Stark** @starkmantony
@imbatibleca Chica Ardilla, ¿no hay ningún crimen contra el que puedas ir a luchar? No sé, lo que sea.

¡Chica Ardilla @imbatibleca
@starkmantony **sí**

¡Chica Ardilla @imbatibleca
@starkmantony por ejemplo es un crimen que no seas un "seso de hierro" y no resuelvas problemas matemáticos, y ahora mismo lo estoy combatiendo

Nancy W. @coserconlacorriente
¿Qué atractivo tiene estar por los veintipocos y escribirle un blog a tu gato? Porque me lo estoy planteando en serio.

Nancy W. @coserconlacorriente
Y cuando hablo de atractivo no pienso en tíos. Me refiero al atractivo de la idea en sí misma. ¿Respuesta? Muchísimo.

¡Chica Ardilla @imbatibleca
@coserconlacorriente NO CAMBIES JAMÁS <3

Nancy W. @coserconlacorriente
@imbatiblecaTambién colgaré comics del Gato Thor y ahora quiero que salga el Mininoloki (un gatito malo).

¡Chica Ardilla @imbatibleca
@coserconlacorriente **omg!!** TENDREMOS QUE MANDÁRSELOS A LOKI

¡Chica Ardilla @imbatibleca
@starkmantony TONY TÚ SABES CÓMO MANDAR UN CORREO A ASGARD

¡Chica Ardilla @imbatibleca
@starkmantony **TONY**

¡Chica Ardilla @imbatibleca
@starkmantony **TONY**

¡Chica Ardilla @imbatibleca
@starkmantony **TONY**

¡Chica Ardilla @imbatibleca
@starkmantony TONY POR QUÉ ME DICE QUE ESTOY BLOQUEADA

buscar

#TIEMPOdecambiar

#adelantadasasuTIEMPO

#todoensuTIEMPOylugar

#escuestióndeTIEMPO

#yentodocasosiestenúmeroirádeviajeseneltiemp

#sorpresa

Ryan North - guión
Erica Henderson - dibujo
Matt Digges, David Robbins, Chip Zdarsky - trading card artists
Rico Renzi - color
Forja Digital - rotulación
Erica Henderson - portada
Brittney L. Williams - portada alternativa
Gracias a Lissa Pattillo y Nick Russell

CIERTA NOCHE, **DOREEN GREEN** Y **PATITAS** SE PREPARABAN PARA **ACOSTARSE**.

HABÍAN PASADO EL DÍA **EMPEÑADAS** EN LA LUCHA CONTRA EL CRIMEN Y EN EL ESTUDIO DE LAS MATEMÁTICAS DISCRETAS, Y SE DURMIERON CON **FACILIDAD**.

ENTONCES LAS GOLPEÓ UN RAYO QUE LAS HIZO **RETROCEDER** EN EL TIEMPO Y LAS BORRÓ DE LA LÍNEA TEMPORAL.

Y ESTO ES LO QUE SUCEDIÓ ENTONCES.

¿LO VEIS? OTROS COMICS OS OBLIGAN A LEER LA MINISERIE ENTERA PARA ENTERAROS DE QUE LOS PROTAGONISTAS HAN RETROCEDIDO EN EL TIEMPO Y DE QUE ADEMÁS LOS HAN BORRADO DE LA LÍNEA TEMPORAL. ¡NOSOTROS, EN CAMBIO, OS LO HEMOS CONTADO TODO EN LA PRIMERA PÁGINA! VOSOTROS, EL RESTO DE COMICS, ¿TENÉIS ALGO QUE DECIR?

YO YA ENTIENDO QUE PARECE UNA LOCURA, PERO, LA *VERDAD*, NO SE ME OCURRE NINGUNA OTRA EXPLICACIÓN. HE LLEGADO A LA *RAZONABLE* CERTIDUMBRE DE QUE, NO SÉ CÓMO, HEMOS RETROCEDIDO EN EL TIEMP...

¡CHIT!

¿EH?

BUENO, VALE, VOY EN *PIJAMA*.

YO CREO QUE LO QUE MIRAN ES LA *COLA*, DOREEN.

¡AH, CLARO!

¡EH, HOLA, SEÑOR! ¡COMO USTED MISMO HABRÁ *APRECIADO*, SOY ACTRIZ Y ESTOY ENSAYANDO UNA OBRA, PORQUE EL TEATRO ES UN TIPO DE *ESPECTÁCULO* HABITUAL A LO LARGO DE TODO EL SIGLO XX, Y CONSTITUYE UNA EXPLICACIÓN SUMAMENTE RAZONABLE PARA MI ATUENDO! ¡HAGO EL PAPEL DE *ARDILLA DURMIENTE*!

¡¡Y TIENE MUCHO SUEÑO!!

LA MOTIVACIÓN POR LA QUE SE GUÍAN LOS ACTOS DE LA ARDILLA DURMIENTE SON LAS GANAS DE ECHARSE EN LA CAMA. ES UN PERSONAJE CON EL QUE RESULTA MUY FÁCIL IDENTIFICARSE.

HAY *ALGO* QUE ESTÁ CLARO, DOREEN: NO *IMPORTA* DÓNDE NI CUÁNDO ESTEMOS, NO PUEDES IR POR LA CALLE EN PIJAMA.

VALE, BUENO, QUIERO DECIR QUE ESTOY DE *ACUERDO*, CLARO, PERO ES QUE NO SUELO LLEVAR DINERO EN LOS *BOLSILLOS* DEL PIJAMA. ADEMÁS, ¿QUÉ SE HACÍA EN ESTA ÉPOCA PARA *CONSEGUIR* ROPA DE SUPERHÉROE?

¿¿*ROPA* DE SUPERHÉROE??

¡*SÍ*, ROPA DE SUPERHÉROE!

ESTO... ¿¿PARA COMBATIR EL *CRIMEN*??

DOREEN, NO PODEMOS *COMBATIR* EL CRIMEN EN EL PASADO. ES EL EFECTO MARIPOSA: ¡SI RESULTA QUE ALGUIEN *ROBÓ* UNA MARIPOSA EN EL PASADO, PERO NOSOTRAS VAMOS Y SE LO IMPEDIMOS, EL FUTURO PODRÍA *SUFRIR* ALTERACIONES BRUTALES!

NO CREO QUE NOS ENCONTREMOS CON MUCHOS ROBOS DE MARIPOSAS, PATITAS.

BUENO, PERO SI LLEGA EL *CASO*, NO QUIERO QUE TE ENTROMETAS. ¡Y ANTES DE QUE ME LO PREGUNTES, TE RECUERDO QUE ESE BUZÓN DE DONATIVOS ES PARA PERSONAS DE LOS 60 QUE NO TENÍAN DINERO PARA *PAGARSE* LA ROPA Y OTRAS NECESIDADES BÁSICAS! CAMBIARÁS EL *FUTURO* SI ROBAS...

¡LA TOMARÉ *PRESTADA*!

¡...SI TOMAS *ROPA* PRESTADA, DOREEN!

BUZÓN DE BENEFICENCIA

ROPA ZAPATOS

POR FAVOR, PATI, SÉ MÁS RAZONABLE. ¿CÓMO CORREREMOS MÁS RIESGO DE *CAMBIAR* EL FUTURO? ¿SI TOMO PRESTADAS UNAS POCAS PRENDAS DE VESTIR SIN *SIGNIFICACIÓN* HISTÓRICA ALGUNA, O SI UNA MUJER DEL FUTURO EN PIJAMA VA PEGANDO SALTOS POR UNA NUEVA YORK *RETRO* CON LA COLA COLGANDO? ...

DE ACUERDO. PERO SOLO POR *NECESIDAD*.

Y CONSÍGUEME TAMBIÉN UNA *CINTA*.

¡POR TI, TODO LO QUE QUIERAS, *PATITAS*! AL FIN Y AL CABO, ERES LA PRIMERA ARDILLA EN TODA LA HISTORIA QUE HA *VIAJADO* POR EL TIEMPO, ¿VERDAD?

SI ES POSIBLE, DE COLOR ROSA.

Poco después...

HUMMM... PARECE QUE DIGAS: "SÍ, HE *MONTADO* ESTE CONJUNTO CON PRENDAS QUE HE *SACADO* DE UN CUBO DE BASURA LLENO DE *ROPA*".

ABAJO LOS CÍRCULOS
ABAJO LOS CUADRADOS

ALGUIEN DIRÍA: "*¡PARECES* UNA VIAJERA DEL TIEMPO *DESESPERADA* POR INTEGRARSE!"

AHORA ESTÁS... PERFECTA.

¡¿CÓMO ES QUE NUESTROS ABUELOS DEJARON DE LLEVAR ROPA DE ESTE *TIPO*?! ¡PERO SI UNA CHICA QUE SE PONGA ESTO NO PUEDE NO ESTAR *GUAPA*!

A MÍ NO ME MIRES. TODOS MIS ABUELOS IBAN *DESNUDOS*.

BUENO, PATITAS... COMO ESTAMOS EN LOS SESENTA, TODAVÍA FALTAN *CINCUENTA* AÑOS PARA LA ENTREGA DE LA PRÁCTICA SOBRE *C++*. Y, ADEMÁS, ESTAMOS DIVINAS.

PONGAMOS MANOS A LA *OBRA*.

¿A QUÉ OBRA? ¿¿BUSCAR UNA MÁQUINA DEL *TIEMPO*... NO SÉ, EN ALGÚN *LUGAR*??

¡PUES CLARO! ¡ESO LO PODRÍAMOS HACER AL *FINAL*! EXPLOREMOS UN POCO, ¿EH?

¡DÉME LA *PASTA*!

!

Cafe
PAPILLON

¡LO HEMOS *HABLADO*, DOREEN...!

¿QUÉ? ¡¿PIENSAS QUE ME QUEDARÉ QUIETA Y QUE NO *LUCHARÉ* CONTRA EL CRIMEN?! ¿ES QUE AHORA MI *FRASE* SERÁ "VAMOS A CASCAR NUECES, PERO CON EXQUISITO CUIDADO PARA NO *METERNOS* EN LÍOS"??

PORQUE TE VOY A *DECIR* LA VERDAD, ME PARECERÍA UN HORROR DE FRASE Y DE *ESTILO* DE VIDA.

PUES A MÍ ME PARECE QUE LO DE CASCAR NUECES ESTÁ MUY BIEN COMO PASO PREVIO A COMÉRSELAS. AHORA BIEN, CUANDO SE TRATA DE METERSE EN LÍOS, PODEMOS PONERNOS DE ACUERDO EN DISENTIR.

TAMPOCO ESTARÍA NADA MAL QUE CIERTAS PERSONAS RECURRIERAN A MEDIDAS BÁSICAS DE PROTECCIÓN CONTRA LOS RAYOS CÓSMICOS Y GAMMA. SOLO ERA UNA IDEA, ¿EH?

Entretanto, en el presente...

¡TOMÁS! ¡KEN!

¿EH?

EH, PENSARÉIS QUE ESTOY LOCA, PERO NO OS *MARCHÉIS* TODAVÍA.

DOREEN HA DESAPARECIDO. DESAPARECIDO DE VERDAD. ¡Y SU CAMA TAMBIÉN SE HA *ESFUMADO!*

¡Y LO MÁS *ABSURDO* ES QUE HE LLAMADO A SUS PADRES PARA QUE ME DIJERAN DONDE ESTABA, Y ME HAN *DICHO* QUE NO SABEN DE QUIÉN LES *HABLO!*

¡¡Y EN LA FACULTAD, LO *MISMO*!!

DISCULPA... ¿QUIÉN ES "DO-REEN"? ¿Y QUIÉN ERES *TÚ?*

¡OH, NO, *CHICOS*, POR FAVOR, NO! ¡VO-SOTROS NO!

DOREEN GREEN. SÍ LA CONOCÉIS. ME *LLEGA* HASTA AQUÍ, ES PELIRROJA, SI HASTA PODRÍAMOS DECIR QUE TIENE UN *PUNTO* COMO, NO SÉ, DE *ARDILLITA.*

LUCHAMOS JUNTOS CONTRA EL CRIMEN.

¿POR QUÉ, HUM, POR QUÉ PIENSAS QUE *YO* PODRÍA LUCHAR CONTRA EL *CRIMEN?*

AY DIOS MÍO.

VAMOS A VER, TÚ ERES *ARDILLA TIOCAÑÓN*, TÚ ERES *CHICO CARPA*, Y NO SÉ QUÉ DIABLOS LE OCURRE A ESTE UNIVERSO, PERO VOY A *DESCUBRIRLO*, ¿VALE?

PODÉIS SER TAN RAROS Y ESTAR TAN LOCOS COMO *QUERÁIS*, PERO OS VOY A DECIR ALGO: NO PIENSO TOLERAR QUE ALGUIEN ELIMINE DE LA *EXISTENCIA* A MI COMPAÑERA DE PISO Y ROBE SU CAMA, Y ENCIMA SE VAYA DE ROSITAS.

PURA CASUALIDAD. SEGURO.

¡YA *SABÍA* YO QUE NO TENÍA QUE VESTIR DE NA-RANJA Y AMARILLO CUANDO VOY DE *CIVIL!* ¡LO SABÍA!

ES QUE ESOS COLORES ME GUSTAN TANTO... HE TENIDO MUCHA SUERTE DE QUE MIS PODERES ESTUVIERAN EN LA LÍNEA DE LOS DE UNA CARPA DORADA.

BUENO, NANCY, *PIENSA*. A VER SI LO ENTENDEMOS. DOREEN HA DESAPARECIDO DE LA HISTORIA. ¿CÓMO ES POSIBLE? ¿CUÁL ES LA ÚNICA MANERA REALISTA, *CIENTÍFICA* DE CONSEGUIRLO?

...

EL VIAJE POR EL *TIEMPO*, ¿VERDAD?

¡SÍ, YA SÉ QUE ESTOY HABLANDO SOLA!

¡¡A VECES LOS ADULTOS HABLAMOS SO- LOS, GRACIAS!!

VALE. EL VIAJE POR EL TIEMPO. NO SÉ QUÉ HARÍA PARA *BORRAR* A ALGUIEN DE LA EXISTENCIA, PERO SI FUERA ENEMIGA DE DOREEN, *PROBABLEMENTE* EMPEZARÍA CON UN VIAJE POR EL TIEMPO.

BUENO... HUM... VEAMOS CÓMO *FUNCIONA*.

Viaje a través del tiempo

Extraído de Wikipedia. ya lo habréis notado, porque esto tiene toda la pinta de ser un artículo de Wikipedia.

El **viaje a través del tiempo** es un concepto de desplazamiento hacia delante o atrás en diferentes puntos del tiempo, similar a como se hace un desplazamiento en el espacio, generalmente por medio de una máquina del tiempo[1]. Si bien la misma naturaleza de este fenómeno nos impide calcular el número de casos, se han dado varios centenares en el siglo XX[2], en ocasiones por accidente [3].

A VECES LA REALIDAD ES *RIDÍCULA*.

LA VERDAD ES QUE ES SORPRENDENTE QUE ALGUIEN LOGRE TERMINAR ALGÚN TRABAJO EN ESTE SITIO.

SUPONGAMOS QUE SOY DOREEN Y QUE ME HAN DESPLAZADO EN EL *TIEMPO*. ¿QUÉ HARÍA?

LO PRIMERO, *DIVERTIRME* MUCHO Y TAL VEZ "DAR CAÑA A LOS CRIMINALES".

NO, NO ME SIRVE.

PERO LO SIGUIENTE QUE HARÍA ES TRATAR DE ENVIARME UN *MENSAJE* A MÍ. SI ESTÁ EN EL FUTURO, MALA SUERTE, PERO, SI ESTUVIERA EN EL *PASADO*...

UN PLAN *INGENUO* SERÍA DEJAR UNA NOTA PARA QUE YO PUDIERA ENCONTRARLA EN UNA FECHA Y HORA EXACTAS, PERO ESTÁ *CLARO* QUE NO LO HA HECHO, PORQUE SI NO YA LA HABRÍA *RECIBIDO*.

ASÍ QUE TAL VEZ *INTRODUZCA* LA NOTA EN UN ESCONDRIJO, UN *LUGAR* DONDE PUEDA QUEDAR FUERA DE LA HISTORIA HASTA QUE YO LA *ENCUENTRE*.

SERÍA MUY *SENCILLO*, ¿VERDAD? TODO LO QUE SE NECESITA ES UN *ESCONDRIJO* QUE PASE INADVERTIDO, DE TAL MODO QUE NADIE ENCUENTRE LA *NOTA* A LO LARGO DE DÉCADAS, NI DE SIGLOS, PERO QUE YO SÍ ENCONTRARÍA EN CUANTO ME PONGA A *MIRAR*.

-BUF-

... NO PUEDE SER.

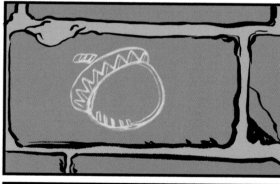

QUE NO PUEDE SER.

Poco después...

SMACK

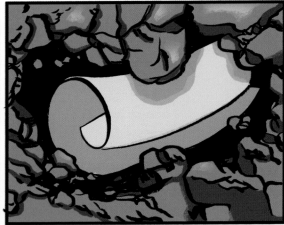

¡HOLA NANCY! ¿SABES QUÉ? ¡POR ALGÚN MOTIVO DESCONOCIDO PATITAS Y YO HEMOS IDO A PARAR AL PASADO! ¡¡AL 20 DE JULIO DE 1962!! ¿VERDAD QUE ESTO ESTÁ DABUTEN? (EN ESTA ÉPOCA NO PARAN DE DECIR "DABUTEN").

NO SÉ QUIÉN ME HA HECHO ESTO, ASÍ QUE AVERÍGUALO Y HÁZMELO SABER, ¿¿VALE?? Y NO TE PREOCUPES POR MÍ, NO ME IMPORTA PASARME UN TIEMPO AQUÍ (¡JAJA NO ES UN CHISTE!), ¡Y EN REALIDAD EL PASADO ESTÁ MUY GUAY! YA HE TOMADO ROPA PRESTADA Y HE FRUSTRADO DOS CRÍMENES.

NO ME RESCATES ANTES DE TIEMPO, VIVIR EN LOS AÑOS SESENTA ES CHACHIPIRULI (ESA PALABRA VIENE A SIGNIFICAR ALGO ASÍ COMO "GUAY").
— D. G. (C.A.)
(= L. I. C. A.)

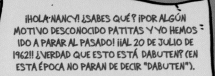

SKREEEEE

DISCULPE, SEÑOR ALBAÑIL, ¿LE *IMPORTARÍA* PONER ESTE LADRILLO?

¡CLARO! ¡NO VEO POR QUÉ NO IBA A HACERLO!

¡BUENO, LO DE **COMUNICARNOS** CON EL FUTURO YA ESTÁ SOLUCIONADO! AHORA VOY A **NECESITAR** TRABAJO Y UN APARTAMENTO, ¿VERDAD?

PERO, ¿Y SI NANCY NO LLEGA A **ENCONTRAR** LA NOTA?

¡PUES NO PASA NADA! ¡LE **MANDARÉ** OTRA! SOMOS NOSOTRAS LAS QUE ESTAMOS EN EL **PASADO**. ¡PODEMOS IR ENVIÁNDOLE NOTAS HASTA QUE **ENCUENTRE** UNA!

EN EL PEOR DE LOS CASOS, TENDRÉ QUE ESPERAR HASTA QUE LA **ABUELITA** DOREEN PUEDA IR A VER A NANCY A PEDIRLE QUE ME RESCATE **AHORA** QUE TODAVÍA SOY JOVEN Y...

PFFT. SI BASTARA CON UNA **PARADOJA** PARA CARGARSE LAS ESTRUCTURAS DEL UNIVERSO, YA HABRÍA **OCURRIDO** HACE TIEMPO Y...

¡¿...QUÉ?!

¡Y ENTONCES **RESCATARÁ** A LA JOVEN Y LA VIEJA QUE HA IDO A AVISAR A NANCY DEJARÁ DE **EXISTIR**, Y ENTONCES PROVOCARÁS UNA **PARADOJA**, DOREEN!

...RDADO UNOS MOMENTOS EN DARME CUENTA DE QUE TODAVÍA FALTAN UNOS TREINTA AÑOS PARA QUE SE INVENTEN LOS AURICULARES DE TAPÓN, ASÍ QUE PUEDE SER QUE ESTO TE PAREZCA RARO, PERO ES QUE ME HE PREGUNTADO SI ERES UNA DE ESAS PERSONAS QUE LA GENTE DE AQUÍ CONSIDERARÍA QUE VIENE DEL FUTURO, UN FUTURO QUE PARA NOSOTROS ES NUESTRO ABURRIDO PRESENTE.

¡GRACIAS A DIOS! EMPEZABA A **PENSAR** QUE ME HABÍA VUELTO LOCA.

YO TAMBIÉN HABÍA EMPEZADO A PENSAR QUE TENDRÍAN QUE OÍRSE MÁS CANCIONES EN ESTA HISTORIA, PERO ENTONCES ME MANDARON AL PASADO. SÍ, YA, A TORO PASADO SIEMPRE TENEMOS MUY CLARO LO QUE DEBERÍAMOS HABER HECHO. TAMBIÉN EN LOS AÑOS 60.

LOS INVENTOS MÁS IMPORTANTES DEL SIGLO XX: 1) EL MICROONDAS; 2) LAS PIZZAS QUE SE METEN EN EL MICROONDAS; 3) NO SÉ, CREO QUE EL AVIÓN TAMBIÉN FUE UN BUEN INVENTO, PERO BUENO, QUÉ MÁS DA.

GUÍA DE SUPERVILLANOS DE MASACRE

TARJETA 1111 DE 4522

ZANCUDO

- ES UN HOMBRE CON ZANCOS, DE AHÍ DEBE DE VENIR SU NOMBRE.
- UTILIZA LOS ZANCOS PARA DELINQUIR A UNA ALTURA A DONDE NO LO ALCANZAN LOS POLICÍAS NORMALES, SI NO ES QUE ELLOS, MISMOS LLEVAN ZANCOS, UNA CIRCUNSTANCIA NO MUY HABI-TUAL, PERO TAMPOCO TOTALMENTE DESCONOCIDA.
- ADEMÁS, SUS ZANCOS SON MUY RESBALADIZOS, ASÍ QUE SI ESTÁIS PENSANDO "BUENO, TRE-PARÉ POR SUS PIERNAS Y CUANDO LLEGUE ARRIBA LO DERROTARÉ", PENSÁTELO MEJOR, CHAVAL.

¡HAY ALGO QUE ESTÁ CLARO: SABEMOS CON CERTEZA QUE NO TIENE ACCESO A NINGUNA MÁQUINA DEL TIEMPO!

ESTUPENDO. ASÍ QUE TENGO QUE *ENCONTRAR* A ALGUIEN QUE ME LLEVE ATRÁS EN EL TIEMPO. Y COMO PARECE QUE TODO EL MUNDO ESTÁ VIAJANDO *SIEMPRE* POR EL TIEMPO, NO SERÁ MUY DIFÍCIL, *¿VERDAD?*

VENGA, TARJETAS DE MASACRE, DADME LO QUE BUSCO.

GUÍA DE SUPERVILLANOS DE MASACRE

TARJETA 1322 DE 4522

EL ESPANTAPÁJAROS

- SE VISTE DE ESPANTAPÁJAROS PARA DELINQUIR.
- ¡¡¡NO, NO EMPLEA GAS DEL MIEDO!!! EL TÍO EN EL QUE ESTÁS PENSANDO AHORA ES OTRO.
- ESTE ESPANTAPÁJAROS ES UN CONTORSIONISTA SUMAMENTE HÁBIL QUE SE VALE DE SU FLEXIBILIDAD EXTREMA PARA METERSE EN LOS EDIFICIOS.
- VALE, DE ACUERDO, DICEN QUE SU CUERPO EMITE GASES QUE INSPIRAN TERROR, PERO OS PROMETO QUE NO ES EL TÍO EN QUIEN ESTÁIS PENSANDO.

¡UN HECHO DE LO MÁS CURIOSO: ESTE TÍO NO HA VIAJADO NUNCA POR EL TIEMPO, Y SI ALGÚN DÍA SE LE OCURRIERA HACERLO NO SABRÍA POR DÓNDE EMPEZAR!

GUÍA DE SUPERVILLANOS DE MASACRE

TARJETA 3405 DE 4522

LA RANA SALTARINA

- ¡¡ES UN HUMANO NORMAL QUE INVENTÓ UNAS PATAS DE RANA ROBOT Y SE LAS PONE SOBRE SUS PIERNAS NORMALES!!
- ESTÁ GENIAL.
- LAS PATAS DE RANA LE PERMITEN SALTAR HASTA UN SEXTO PISO, PERO NO TENEMOS INFORMACIÓN SOBRE LOS ATERRIZAJES.
- LAS UTILIZABA PARA PERPETRAR DELITOS, PERO LUEGO SU HIJO UTILIZÓ EL MISMO TRAJE PARA HACER DE HÉROE, LO QUE NOS PERMITE SUPONER QUE EL PADRE SE INDIGNÓ CON EL POBRE RENACUAJO.
- SÍ, EL CHISTE ERA PATÉTICO, PERO NO HACE FALTA QUE ME VOMITÉIS ESOS SAPOS.
- VALE, YA ME CALLO.

¡ESTE TÍO SE DEDICA, ESPECÍFICAMENTE, A IMPEDIR QUE LOS DEMÁS VIAJEN POR EL TIEMPO! ¡¡LO ÚNICO QUE PUEDO DECIROS ES QUE SI BUSCABAIS A ALGUIEN QUE OS AYUDARA A VIAJAR POR EL TIEMPO, LEER ESTA FICHA HA SIDO UNA ABSOLUTA PÉRDIDA DE TIEMPO!!

TOSS

ESTABA A PUNTO DE GRITARLE A MASACRE QUE HAGA EL FAVOR DE NO CONTAR CHISTES SOBRE SAPOS CUANDO HABLAMOS DE RANAS, PERO ES QUE DE HECHO "RANA" Y "SAPO" SON TÉRMINOS SIN PRECISIÓN TAXONÓMICA, ASÍ QUE EN REALIDAD LA COSA NO TIENE MUCHA IMPORTANCIA.

Lista de viajeros del tiempo confirmados

Esta es una lista de viajeros del tiempo confirmados que han llevado a cabo por lo menos un viaje por el tiempo. La realización efectiva del viaje ha sido confirmada en todos los casos por un tercero.

- Deathlok
- Dyscordia
- El Plasmacabro
- Immortus
- Kang el Conquistador
- Dr. Muerte

Lista de viajeros del tiempo confirmados que tienen nombres no patéticos

- Iron Man
- Hulk
- Mr. Fantástico *[cuestionable- Puede ir a la página discusión]*

Ver también

- Viajes por el tiempo
- Inconvenientes de permitir que un hombre adulto se haga llamar "Mr. Fantástico"

POR FAVOR... "MR. FANTÁSTICO" ERA MI PADRE. A MÍ ME PODÉIS LLAMAR... NO, DA IGUAL, "MR. FANTÁSTICO" ESTÁ ESTUPENDO, Y PENSÁNDOLO BIEN ME ENCANTARÍA QUE TODO EL MUNDO ME LLAMARA ASÍ.

Los años 60...

UN MO- MENTO... PATITAS, ¿HAS VISTO *ESO*?

¿UH?

NO... ESTO... *NO* TIENE NINGÚN *SENTIDO*...

...AÚN FALTA *MUCHO*...

¿¿QUÉ??

A LA VENTA EL PRÓXIMO AÑO:
El "ingenio para oír discos". "I. P. O. D."

¡SOLO CON PULSAR EN "GO" SUENA LA MISMA MÚSICA QUE EN LOS DISCOS! ¡QUÉ ALUCINE!

¡SI HASTA SIRVE PARA LA MÚSICA DE LOS DISCOS "COMPACTOS" QUE TODAVÍA NO EXISTEN!

ESTE *ANUNCIO* ESTÁ DEBAJO DEL MÍO.

NADA DE ESO SE HA INVENTADO *TODAVÍA*. AQUÍ FALLA ALGO. ESTO NO ES DE ESTA *ÉPOCA*.

¡¡*IGUAL* QUE TÚ, DOREEN! ¡¡TÚ TAMPOCO ERES DE ESTA *ÉPOCA* Y HAS IGNORADO MIS *ADVERTENCIAS*, Y HAS AVERIADO EL TIEMPO PARA SIEMPRE!!

¡OYE, QUE NO HE SIDO YO! NO HE IDO POR AHÍ *GRITANDO* SOBRE ESAS COSAS, Y ADEMÁS ESTÁ CLARO QUE ALGUIEN *ENVIÓ* EL ANUNCIO ANTES DE QUE YO LLEGARA.

NO CREO QUE ESTO *PROVENGA* DE ALGUIEN A QUIEN TRANS- PORTARON ANTES QUE A MÍ. PIENSO QUE ALGUIEN VIAJA CON SU PROPIA MÁQUINA DEL *TIEMPO*...

...Y LA ESTÁ *USANDO* PARA REESCRIBIR LA *HISTORIA*.

UN DATO GRACIOSO DE LA INFORMÁTICA DEL MUNDO REAL: UN PROGRAMA QUE TRANSFORMÓ 100.000 DÓLARES DE MAQUINARIA COMPUTACIONAL QUE ERA MODERNÍSIMA EN LOS 60 EN LO QUE EN REALIDAD NO ERA MÁS QUE UNA MÁQUINA DE ESCRIBIR CARA TENÍA COMO APROPIADÍSIMO NOMBRE "EXPENSIVE TYPEWRITER", ESTO ES, "MÁQUINA DE ESCRIBIR CARA".

El presente.

YO...

AHHH... MIERDA.

¡NECIOS! LOS HÉROES MÁS PODEROSOS DE CUALQUIER ÉPOCA CAERÁN...

¡¡...ANTE EL DR. MUERTE!!

The Unbeatable Squirrel Girl vol. 2, #3 USA

la Chica Ardilla en dos palabras

¡Buscar! 🔍

Nancy W. @coserconlacorriente
Nadie me cree, pero hasta esta mañana Miau y yo teníamos compañera de habitación. La han borrado del tiempo y soy la única que la recuerda.

Nancy W. @coserconlacorriente
Y era ESTUPENDA y MONA y LISTA y ADEMÁS PELEABA BIEN y sin ella estoy fatal.

Nancy W. @coserconlacorriente
RT si borran del tiempo a tu compañera de habitación y nadie la recuerda.

Nancy W. @coserconlacorriente
¿Lo veis? Ahí tenéis la prueba de que ha desaparecido. AL MENOS al leer esto último habría respondido.

Tony Stark @starkmantony ✓
¿No te has parado a pensar que falta algo en el Universo? Como si algo que tiene que estar ahí... no estuviera.

> **Nancy W.** @coserconlacorriente
> @starkmantony ¡Guau guau guau! ¿Tú también la recuerdas? ¡Creía que era la única!

Tony Stark @starkmantony ✓
Como si te hubieses levantado hoy y pudieras JURAR que todo está igual, pero sintieras que falta algo muy importante...

> **Nancy W.** @coserconlacorriente
> @starkmantony ¡Sí! ¡Doreen!

Tony Stark @starkmantony ✓
...y aunque una parte de ti supiera que eso que te falta -sea lo que sea- a veces te puede llegar a amargar... todavía lo echas de menos.

> **Nancy W.** @coserconlacorriente
> @starkmantony Tú y ella tenéis una relación muy especial. ¡Gracias! Había llegado a pensar que estaba loca. ¿Qué vas a hacer ahora, Tony?

Tony Stark @starkmantony ✓
Porque yo sentía lo mismo... HASTA que probé el nuevo kit casero de tratamiento de belleza #IronManicure, ya a la venta.

Tony Stark @starkmantony ✓
Tus manos valen demasiado como para confiarlas a un kit de manicura ordinario. ¡Quédate con el Stark #IronManicure Challenge! Si no quedas satisfecha te devolvemos tu dinero.

Tony Stark @starkmantony ✓
Las limas, tijeras para uñas y alicates para cutículas de color rojo y dorado te harán sentir como una Superstark. ¡Y todo gracias al nuevo kit de manicura #IronManicura!

> **Nancy W.** @coserconlacorriente
> @starkmantony bloqueado

> **HULK** @HULKYROMPY
> @starkmantony HULK PREGUNTAR SI HABER KIT DE MANICURA EN VERDE Y PÚRPURA PORQUE HULK PENSAR ESOS COLORES MÁS BONITOS

Nancy W. @coserconlacorriente
Y aquí estaba yo enfrascada en mis asuntos cuando de pronto hay una fuerte explosión de luz y sonido y me caigo al suelo. ¿Y quién era?

Nancy W. @coserconlacorriente
El Dr. Muerte. El Dr. Muerte, amigos y vecinos míos. Monarca de Latveria, embajador, siempre vestido con su traje de metal. Grande como la vida misma.

Nancy W. @coserconlacorriente
Sí, será mejor que deje el teléfono, porque lo tengo AQUÍ.

#doctormuerte

#wikipedia

#muertipedia

#viajeporeltiempo

#viajeadestiempo

#viajecontratiempo

Guión: **Ryan North**

Dibujo: **Erica Henderson**

Dibujo de tarjetas: **Doc Shaner**

Color: **Rico Renzi**

Dibujo de cubierta:

Erica Henderson

Dibujo de cubiertas alternativas:

John Tyler Christopher;

Matt Waite

ALBUM: DOREEN'S CARDS, IDK

LA GUÍA DE SUPERVILLANOS DE MASACRE

TARJETA 24 DE 4522

VICTOR "DOCTOR" VON MUERTE

- ¡REY DE LATVERIA, DIPLOMÁTICO, INVENTOR Y SEÑOR DE LAS ARTES MARCIALES, QUE ADEMÁS TIENE UN INTELECTO BRILLANTE, UNA VOLUNTAD INDOMABLE Y DESTREZAS SIN PARANGÓN EN LAS ARTES OSCURAS!
- TAMBIÉN PINTA Y TOCA EL PIANO, SEÑORAS.
- ESTÁ OBSESIONADO CON DESTRUIR A REED RICHARDS.
- DEBILIDADES: NINGUNA :(
- DESTREZAS: HUM... YO DIRÍA QUE TODAS.
- ES EXTREMADAMENTE PELIGROSO Y SI SE ENFADA ES CAPAZ DE ARRASAR CIUDADES ENTERAS.
- DATO CURIOSO: ¡EN REALIDAD, NO TERMINÓ EL DOCTORADO! ¡NO DEBERÍA UTILIZAR EL TÍTULO DE DOCTOR! SI UN DÍA LO VES, COMÉNTASELO. SEGURO QUE SE LO TOMARÁ BIEN.

SABES QUE HAY QUIEN TIENE UN EGO DEL TAMAÑO DE UN PLANETA, ¿VERDAD? ¡¡BUENO, PUES EL EGO DE MUERTE ES TAN GRANDE QUE EGO EL *PLANETA VIVIENTE* SE SIENTE PEQUEÑO A SU LADO!! ¡TOMA YA!

NO TIENE DEBILIDADES... BUF...

NEW YORK BULLETIN

¡JA JA! ¡NECIOS! ¿CÓMO VA A DEFENDERSE ESTE FUTURO...?

¿¿...SI EL PROPIO TEJIDO DEL *ESPACIO* Y DEL *TIEMPO* SE DESGARRA ANTE MUERTE??

PERFECTO. ESTO ES *PERFEEEECTO.*

DATO CURIOSO: LO QUE QUERÍA EL DR. MUERTE LA PRIMERA VEZ QUE LUCHÓ CONTRA LOS CUATRO FANTÁSTICOS ERA OBLIGARLOS A RETROCEDER EN EL TIEMPO, ROBAR EL TESORO DE UNOS PIRATAS Y ENTREGÁRSELO A ÉL. SEGUNDO DATO CURIOSO: EL DR. MUERTE ES ASOMBROSO.

¡QUE SÍ! SUS GARRAS **NO** HACÍAN "SNIKT" AL SALIR, ERA ÉL MISMO QUIEN HACÍA EL RUIDO CON LOS LABIOS. ES...

¿EH?

¡¡MUER-TE!!

PARA TI SOY EL DR. MUERTE, JUBILATION. ¡¿CÓMO ES **POSIBLE** QUE UN INSECTO COMO TÚ SE DIRIJA A MÍ SIN LLAMARME POR MI TÍTULO?!

NO TE CREAS QUE ESTA VEZ TE **MARCHARÁS** DE ROSITAS, MUERTE. ¡VOY A LLAMAR A LA PATRULLA-X! NO PODRÁS...

COMO LO INTENTES, JÚBILO, TE ATOMIZARÉ EL **CUERPO** ANTES DE QUE PUEDAS MANDAR NINGUNA SEÑAL.

¡ALTO! ¡¡ALTO!!

CALMAOS LOS DOS, ¿¿VALE??

NO HACE FALTA QUE LLAMES REFUERZOS NI QUE **ARRASEMOS** CIUDADES ENTERAS. Y APUESTO A QUE TE VAS A SENTIR MUY MAL EN CUANTO TE DES CUENTA DE QUE...

...ESTO... DE QUE...

...DE QUE ES UN TÍO QUE SE DEDICA AL COSPLAY Y VISTE UN **DISFRAZ** EXCELENTE.

LA ANTORCHA HUMANA TAMPOCO DICE "¡LLAMAS A MÍ!" CUANDO SE ENCIENDE. ES UN SONIDO QUE EMITE LA PROPIA COMBUSTIÓN, Y JOHNNY STORM TIENE QUE VIVIR CON ELLO.

¡SÍ! TENÉIS GANAS DE SABER LO QUE OCURRIÓ CUANDO LA CHICA ARDILLA CONOCIÓ AL DR. MUERTE, BUSCAD EL VOLUMEN DONDE APARECIÓ ESE EPISODIO! TAMBIÉN PODRÍAIS PASAR PÁGINA Y VER EL MOMENTO CULMINANTE DEL ENCUENTRO. ESTO ÚLTIMO TAMBIÉN FUNCIONARÍA.

MIRA, DR. MUERTE, ESTO, MIRE, SEÑOR, CREO QUE HAY UNA MANERA DE QUE LOS DOS CONSIGAMOS LO QUE *QUEREMOS*: TÚ PODRÁS PROTEGERTE DE LA CHICA ARDILLA Y YO RECUPERARÉ A MI AMIGA.

ESTÁ ATRAPADA EN EL PASADO, Y COMO TE HAS PRESENTADO EN EL *MOMENTO* JUSTO CON UNA MÁQUINA DEL TIEMPO, ESTABA PENSANDO QUE TÚ... QUE SU MAGNANIMIDAD SIN LÍMITES... SI PUDIERA USTED...

ESA *"AMIGA"*... ¿CÓMO SE LLAMA?

¡¿LA CHICA ARDILLA?! ¡SI ERES SU ALIADA, ENTONCES ERES ENEMIGA DE MUERTE! TU DESTINO ESTÁ *SELLADO*, PUES LA MUERTE SE ABATE SIN DILACIONES SOBRE TODOS CUANTOS DESAFÍAN A...

¡NO ESPERA ESPERA ESPERA! ¡TIENES QUE *ENTENDER* QUE NO ESTÁ SOLO ATRAPADA EN MI PASADO! ¡¡ESTÁ ATRAPADA EN EL PASADO DE AMBOS!!

HUM...

CHICA ARDILLA...

INTERESANTE. PERO QUE LA CHICA ARDILLA ESTÉ ATRAPADA EN LA HISTORIA TAN SOLO PUEDE *BENEFICIARME*. ¡QUE SE PUDRA ALLÍ! ENTRETANTO, MUERTE, SIN HALLAR OPOSICIÓN...

¡ESCÚCHAME! ¡¡ES QUE NO LO ESTÁS ENTENDIENDO *BIEN*!!

¡¿QUIÉN ERES TÚ PARA JUZGAR SI *MUERTE* ENTIENDE BIEN O MAL?!

DISCULPA. DISCULPA. BUENO, VAMOS A PLANTEARLO DE OTRA MANERA: MUERTE ES ASÍ COMO MUY *GRANDE*, ¿VERDAD?

¡NO HAY NADIE MÁS GRANDE! ¡¡NADIE PUEDE RIVALIZAR CON MUERTE!!

¡ESO ES! ESTÁ CLARO QUE EL DR. MUERTE ES EL Nº 1, Y DE AHÍ VIENE UNA *EXPRESIÓN* QUE SE HA HECHO MUY HABITUAL AHORA, EN EL FUTURO... ESTO...

"EL DR. MUERTE ES EL Nº 1".

EL PLAN DEL DR. MUERTE CONSISTE EN AGARRAR A NANCY Y ARROJARLA CONTRA EL SOL. LA VERDAD ES QUE... ES UN PLAN MUY PROPIO DE ÉL.

ESTO ES LO QUE SABEMOS: TODOS NOSOTROS SOMOS **ESTUDIANTES** DE LA EMPIRE STATE, TODOS NOSOTROS ESTAMOS MATRICULADOS EN INFORMÁTICA, Y AUNQUE NOS TRANSPORTARON EN EL TIEMPO A MOMENTOS DISTINTOS, TODOS NOSOTROS HEMOS LLEGADO DURANTE LOS ÚLTIMOS MESES.

LO QUE ME EXTRAÑA ES QUE NO CONOZCO A NINGUNO DE VOSOTROS. SI ESTUDIÁBAMOS TODOS LA MISMA CARRERA, TENDRÍA QUE HABEROS **VISTO** POR LA FACULTAD.

ES CIERTO. ¿ALGUNO DE VOSOTROS **RECUERDA** HABER VISTO A ALGÚN OTRO EN LA FACULTAD?

¡BUENO! ENTONCES, MISTERIO Nº 1: ALGUIEN NOS ENVIÓ AL PASADO Y NO SABEMOS CÓMO NI POR QUÉ. MISTERIO Nº 2: NO NOS CONOCEMOS, AUNQUE PARECE QUE TENDRÍAMOS QUE **CONOCERNOS.** PERO DEJEMOS DESCANSAR POR UN INSTANTE ESAS CUESTIONES. ESTE ES EL MISTERIO Nº 3...

HE **VISTO** ESTE ANUNCIO EN EL PERIÓDICO.

¿ALGUIEN SABE QUIÉN ES EL QUE HACE EL LOCO PUBLICANDO ESTAS **CHORRADAS** ANTES DE TIEMPO?

A LA VENTA EL PRÓXIMO AÑO:

El "Ingenio Para Oír Discos". "I. P. O. D."

¡SOLO CON PULSAR EN "GO" SUENA LA MISMA MÚSICA QUE EN LOS DISCOS! ¡QUÉ ALUCINE!

¡SI HASTA SIRVE PARA LA MÚSICA DE LOS DISCOS "COMPACTOS" QUE TODAVÍA NO EXISTEN!

AH JA JA.

SÍ. HE SIDO YO.

¡¡PERO QUÉ MÁS DA, HA SIDO UNA **PÉRDIDA** DE TIEMPO!! ¡¡NO ME MIRÉIS ASÍ!!

TAMBIÉN FUE UN COMPLETO DERROCHE DE "PAVOS" DE LOS 60. ES LO MISMO QUE AHORA LLAMAMOS "DÓLARES".

"CUANDO TE *CONOCÍ*, DOREEN..."

...Y ASÍ ME HE DADO CUENTA DE QUE NO SOY LA *ÚNICA* PERSONA DEL FUTURO ATRAPADA AQUÍ. Y SE ME HA OCURRIDO OTRA MANERA DE VOLVER A CASA.

Y DE PASO *GANAR* ALGÚN DINERO.

¿QUÉ? ¡YO NO *DIJE* ESO!

NO, LO DIGO YO AHORA... AL *CONTAR* LO QUE OCURRIÓ ENTONCES. LO DIGO YO AL NARRAR.

¡PERO TAL COMO LO *EXPLICAS* PARECE QUE LO DIJÉRAMOS!

PUES NO SÉ *QUÉ* DECIRTE.

EL VIAJE POR EL TIEMPO ES UNA TECNOLOGÍA, Y SABEMOS QUE SE *INVENTARÁ*, PORQUE ESTAMOS TODOS AQUÍ. ¿Y SI ACELERÁRAMOS EL PROCESO?

INVENTAMOS AHORA TODO LO QUE RECORDAMOS DEL FUTURO PARA QUE SE ACELERE EL DESARROLLO *TECNOLÓGICO*, Y ASÍ LAS MÁQUINAS DEL TIEMPO SE INVENTEN MUCHO ANTES Y PODAMOS VOLVER A CASA.

¡NO, MIRA, YO TAMPOCO DIJE ESO! YA SÉ QUE *PIENSAS* QUE TAN SOLO ESTÁS NARRANDO, PERO TAL COMO HABLAS PARECE QUE YO DIJERA TODO ESO.

¡NO ME *INTERRUMPAS*!

Y PUSE ESE ANUNCIO CON LA IDEA DE ATRAER A *VIAJEROS* DEL TIEMPO, IGUAL QUE TÚ, DOREEN.

LA IDEA ERA QUE, UNA VEZ LOS ENCONTRÁRAMOS, *EMPEZARÍAMOS* A CONSTRUIR EL FUTURO. SOLO QUE MEJOR. MÁS RÁPIDO.

SABÍA QUE NECESITARÍAMOS ORDENADORES, PERO NO TENÍA NI IDEA DE CÓMO *CONSTRUIR* COMPUERTAS LÓGICAS EN UN MICROPROCESADOR PROGRAMABLE COMPATIBLE CON 8080/6.

LA CAMARERA *TAMPOCO* DIJO NADA DE TODO ESO.

A VER, ¿QUIÉN DE *NOSOTROS* HA LEÍDO SOBRE ARQUITECTURA CPU-

¿Y *BIEN*?

¡MIRA, TÍA, YO NO VOY A DECIR *NADA*!

LOS INFORMÁTICOS QUE SE HALLAN ENTRE LA AUDIENCIA DICEN: "¡NO, POR FAVOR, MARY, NO RECONSTRUYAS LA ARQUITECTURA X86! ¡MEJÓRALA, SOBRE TODO EN RELACIÓN CON LAS APLICACIONES DE BAJO CONSUMO ENERGÉTICO!" Y LOS NO INFORMÁTICOS QUE SE HALLAN ENTRE LA AUDIENCIA DICEN, A SU VEZ: "LA INFORMÁTICA, ESTO, INFORMA".

LA CHICA ARDILLA SE ENCUENTRA EN UN RADIO DE *50 METROS* A LA REDONDA DESDE LA PLATAFORMA TEMPORAL.

¡AH, SÍ, YO MISMA LA HE *VISTO* ANTES! ¡¡VOY A BUSCAR-LA!!

¡CHICA ARDILLA! ¡EL *DR. MUERTE* HA VENIDO A VERTE!

¡EL *DR. MUERTE*! ¿DE VERDAD?

¡UNA VERDAD COMO UN TEMPLO, CHICA *ARDILLA*! ¡TÚ Y TU AMIGA ARDILLA QUE HA ESTADO TANTO RATO ESPERANDO AQUÍ FUERA, CUÁNTO LO SIENTO, TENDRÍAIS QUE IR A APO-RREARLE!

¡OYE, PUES PARECE UNA *EXCELENTE* IDEA!

¡DR. MUERTE! NO SÉ SI ESTABAS ESCUCHANDO MI *CONVERSACIÓN* PRIVADA, PERO TE LA VOY A RESUMIR:

PARECE QUE AL "DOCTOR" LE HA LLEGADO EL TURNO DE CONSOLIDARSE EN LA PLAZA, Y VENGO CON *MALAS* NOTICIAS: ¡LO TIENE CRUDO!

¡CHIK CHIKK!

¡¡ESPERA, CHICA ARDILLA!! ¡¡NO ES QUIEN TU CREES QUE ES, NO ES *NUESTRO* DR. MUERTE!!

¡ES EL DR. MUERTE DE *INMEDIA-TAMENTE* DESPUÉS DE QUE LO CONOCIE-RAS!

¿RECUERDAS? ¿¿EL DR. MUER-TE QUE *ERA* SUPERGRANDE Y PODEROSO Y MENTALMENTE ESTABLE??

(A PRO-PÓSITO, ESE *TRAJE* ESTÁ MUY CHULO.)

¡UALA! ¿EL DE CUANDO YO TENÍA CATORCE AÑOS?

Y LE ENVIÉ A MI ENJAMBRE DE ARDILLAS Y DIJO LO DE "*MALDITOS* SEAN ESTOS MISERABLES ROEDOR..."

VALE. YA LO PILLO.

UHHH... EN CUALQUIER CASO, ¿QUIÉN PUEDE SABER LO QUE OCURRIÓ REALMENTE EN EL PASA-DO? LAS CONVERSACIONES SUELEN SER ABSURDAS... ¡LO MEJOR QUE PO-DEMOS HACER ES OLVIDARLAS!

¡ANDA... DR. MUERTE...!

¡¿QUÉ HA SIDO DE TU *VIDA*?!

METERSE CON UN DOCTOR NO MÉDICO ES DIFÍCIL. ¡EN CAMBIO, SI EL DOCTOR EN CUESTIÓN ES MÉDICO, LA COSA ES FÁCIL! SOLO TIENES QUE IR Y DECIRLE: "¡ALGO ME DICE QUE TE CONVENDRÍA HACERTE UNA GILIECTOMÍA!" Y ENTONCES EL DOCTOR MÉDICO SUSPIRA Y DICE: "GUAU, SI DE HECHO ME LA ESTOY HACIENDO SIN PARAR".

RESPETARÁS EL ESPACIO **PERSONAL** DE MUERTE.

¡DISCULPA, DISCULPA!

EH, UH... ¡EH, CHICA ARDILLA! ¿QUIÉNES SON TUS AMIGOS? ¿TUS AMIGOS DE LOS AÑOS 60 QUE AHORA YA SABEN QUE EL **VIAJE** POR EL TIEMPO ES UNA REALIDAD, PORQUE ACABAMOS DE HACERLES UNA DEMOSTRACIÓN?

AH, SÍ, ESTO, DOREEN ME HA INFORMADO. TODOS NOSOTROS PROCEDEMOS DE LA MISMA ÉPOCA. Y TAMBIÉN DE LA MISMA **FACULTAD**. TODOS ELLOS SON ESTUDIANTES DE LA EMPIRE STATE Y ADEMÁS NO SE CONOCEN, Y ESTO ÚLTIMO ES... EN REALIDAD ES RARO.

ESPERA... DESPUÉS DE QUE DESAPARECIERAS, A TI **TAMPOCO** TE RECORDABA NADIE. NI SIQUIERA TUS PADRES. DE HECHO, AHORA QUE LO PIENSO, LA ÚNICA PERSONA QUE TE RECORDABA ERA...

...EL **DR. MUERTE**.

AFICIONA-DAS.

ES VUESTRO PRIMER VIAJE POR EL **TIEMPO**.

¡NOOO! ¡YO YA HABÍA ESTADO EN EL **FUTURO**! ¡FUE DE LO MÁS... FUTURISTA!

ESCUCHADME BIEN: TODA MÁQUINA DEL TIEMPO DECENTE TIENE UN CAMPO DE PROTECCIÓN **CRONOTÓN**. ELIMINA LA MATERIA DE LAS CADENAS DE CAUSALIDAD Y PROTEGE A LOS USUARIOS DE LA MÁQUINA DE TODA ALTERACIÓN EN SU LÍNEA TEMPORAL.

ESO NO **INCUMBE** A MUERTE.

¡SÍ! ¡FUE EL PODER DE LA **AMISTAD**!

UN VIAJERO DEL TIEMPO LO BASTANTE IMPRUDENTE COMO PARA VIAJAR [S]IN CRONOTÓN SE HALLA EN **PELIGRO** CONSTANTE DE [B]ORRAR SU PROPIA HISTORIA. MUERTE NO ES NECIO. COMO MEDIDA DE SEGURIDAD, SIEMPRE VIAJO CON UN CAMPO DE ESE TIPO.

PUES ENTONCES, ¿CÓMO ES QUE TODAS ESAS PERSONAS QUEDARON **BORRADAS** DE LA HISTORIA CUANDO RETROCEDIERON EN EL TIEMPO? ¿Y CÓMO ES QUE AÚN RECUERDO A CHICA ARDILLA, AUNQUE TODOS LOS DEMÁS LA OLVIDARAN?

¡OHHHH! ¿EL PODER DE LA AMISTAD?

PERO BUENO, CHICA ARDILLA, ¿Y QUÉ ME CUENTAS DE UN TÍO QUE VA SIEMPRE VESTIDO CON UN TRAJE DE METAL Y QUE TE HIZO PENSAR: "ESTÁ CLARO QUE A ESE TÍO LE GUSTA QUE LE TOQUEN POR SORPRESA"?

CLARO QUE PODRÍA ELIMINAR EL CAMPO **CRONOTÓN**. SOLO NECESITO... UN CONEJILLO DE INDIAS.

¡CHHHHK!

¡¡DEJA EN **PAZ** A PATITAS!!

ESTO, EH, ¿Y SI **UTILIZARAS** MI TELÉFONO?

SÍ... ME IRÍA **BIEN**.

OBSERVA. ESTE ES EL TELÉFONO QUE TÚ **RECUERDAS**, EL DE LA LÍNEA TEMPORAL ORIGINAL.

Y ESTE ES TU **TELÉFONO** EN EL MUNDO QUE SE HA CREADO TRAS LOS ACONTECIMIENTOS DE HOY.

MUERTEPHONE 5000

PUES... LA **ACTUALIZACIÓN** HA SIDO SUSTANCIAL.

PERO TÍOS, ¿¿NO NOS HABÍAMOS PUESTO DE ACUERDO EN NO IR INVENTANDO **TECNOLOGÍA** ANTES DE TIEMPO?! ¿¿QUÉ SIGNIFICA ESTO??

ESPERA. LLEVO SIEMPRE GUARDADA UNA VERSIÓN DE **WIKIPEDIA** EN EL TELÉFONO. CONSULTARÉ LA "CRONOLOGÍA DEL SIGLO XX", A VER LO QUE HA CAMBIADO.

¿LO HABÉIS OÍDO? ¡VA A **CONSULTAR** LA WIKIPEDIA!

¡¡Y COMO EL NOMBRE DE ALGUNO DE VOSOTROS APAREZCA EN ELLA, ME VOY A ENFADAR MUCHÍSIMO!!

¡NO PODEMOS OCULTAR NUESTROS SECRETOS AL FUTURO! ¡Y SI PENSAMOS EN ELLO, LA CERTIDUMBRE SE VUELVE CADA VEZ MÁS ATERRADORA! ¡ASÍ QUE NO PENSEMOS EN ELLO!

¡EH!

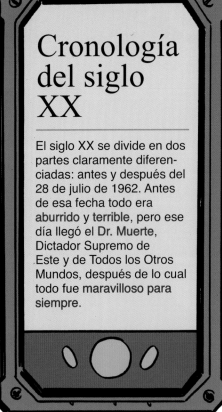

Cronología del siglo XX

El siglo XX se divide en dos partes claramente diferenciadas: antes y después del 28 de julio de 1962. Antes de esa fecha todo era aburrido y terrible, pero ese día llegó el Dr. Muerte, Dictador Supremo de Este y de Todos los Otros Mundos, después de lo cual todo fue maravilloso para siempre.

tap!

Doctor Victor von Muerte, en posesión del título de **doctor** después de doctorarse, es un amadísimo déspota ilustrado, científico, inventor, hechicero supremo, genio y artista que apareció en circunstancias misteriosas en el llamado Planeta Muerte (antiguamente conocido como "Tierra") el día 28 de julio de 1962. Se hizo enseguida con el poder sobre el mundo entero y promulgó gran número de decretos comprensibles tan solo para Su Suprema Grandeza. Así, por ejemplo, decidió que Reed Richards y las tres personas más cercanas a él no podrían entrar en el espacio exterior, dimensiones alternativas ni cines; que un obscuro estudiante llamado Peter Parker no podría acercarse bajo ningún concepto a las arañas; que se suspenderían con efectos inmediatos todas las pruebas con rayos gamma, y varios otros. Su reino es notable por haber logrado la perfección en todos los sentidos.

HE VENCIDO. YA HE VENCIDO. NO IMPORTA EN QUÉ ERA. **MUERTE** SIEMPRE VENCE.

Y ESTE MUNDO... ¡¡...PERTENECERÁ A MUERTE!!

ZZZT

SÍ, HA QUEDADO ESTABLECIDO EN EL CANON QUE UNA DE LAS HABILIDADES DE MUERTE CONSISTE EN ACCIONAR PANTALLAS *TÁCTILES* MIENTRAS LLEVA PUESTOS LOS GUANTES DE METAL. SEGURO QUE LE RESULTA MUY PRÁCTICO.

¡¡TENÍAMOS UN *TRATO*, VICTOR!!

ACORDAMOS QUE TE ENCARGA-RÍAS DE QUE CHICA ARDILLA *NO* ME ATACARA. ¡PERO YO SÍ PUEDO ATACARLA A ELLA!

ZZZT ZZZT

¡PROMETISTE QUE LA *DEVOLVERÍAS* A MI ÉPOCA!

¡Y MUERTE CUM-PLIRÁ SU PALABRA! ¡*REGRESARÁ* DENTRO DE UN ATAÚD! ¡Y TÚ IRÁS CON ELLA!

¡¡NAN-CY!!

¡HHHH!

ZZZZZZT

NO PUEDO CREERME QUE EL DR. MUERTE, UN TÍO QUE TIENE LITERALMENTE SU PROPIO PAÍS, RECURRA A ESTOS RIDÍCULOS JUEGOS DE PALABRAS *INFANTILES* PARA ROMPER SUS PROPIAS PROMESAS.

¡VENGA, MUERTE! ¡NO PUEDES DISPARAR TUS RAYOS EN UN LUGAR PEQUEÑO Y CERRADO COMO ESTE! ¡INCURRES EN UNA *PEQUEÑEZ* QUE SE LLAMA PONER VIDAS INOCENTES EN PELIGRO!

¡NECIA! ¡EL TELÉFONO ES LA PRUEBA DE TU FRACASO! ¡NO IMPORTA LO QUE *HAGAS*... EL MAÑANA PERTENECE A MUERTE!

ZZZT ZZZT

¡ESO LO DIRÁS *TÚ*, CRETINO!

NO PUEDES DETENERME, CHICA ARDILLA. CON TAL DE DERROTAR A MIS ENEMIGOS, IMPEDIRÉ QUE SUS PODERES SE *MANIFIESTEN*, Y ASÍ NI ELLOS MISMOS LLEGARÁN A CONOCER TODA LA PROFUNDI-DAD DE SU HUMILLACIÓN. TODO EL MUNDO SE VERÁ DÉBIL Y PATÉTICO EN LAS MANOS DE MUERTE...

SMAK

...Y LLEGARÁ LA *PERFECCIÓN*.

¡CHICA ARDILLA! ¡LLAMA AL EJÉRCITO DE ARDILLAS!

¡NO PUEDO! ¡AQUÍ NO ME CONOCEN! ¡PATITAS ME DIJO QUE NO ME PRESENTASE PARA NO CONTAMINAR LA LÍNEA TEMPORAL!

ZZZT

¡OYE, EN ESE MOMENTO PARECÍA UN BUEN CONSEJO!

NO PODRÉ CONTENERLO INDEFINIDAMENTE! TENEMOS QUE SACAR DE AQUÍ A TODA ESTA GENTE, NANCY!

SMAK

¡SUÉLTAME, IMBÉCIL!

AHORA TU EJÉRCITO DE ROEDORES NO TE PUEDE SOCORRER. Y SIN ELLOS, NO ERES NADA. UN INSECTO CUYA PRESENCIA NI SIQUIERA PERCIBO.

KA-SMASH

ADIÓS, CHICA ARDILLA. NO VOLVERÁS A MOLESTARME.

SMASH

RELÁJESE CON CLASE EN NUESTRA NUEVA PISCINA EN LA AZOTEA, A EXACTAMENTE 230 METROS SOBRE LA CIUDAD.

EN LA ESQUINA DE LA AVENIDA MADISON CON LA CALLE E 54. (¡GUAU! ¡ESO ESTÁ A CUATRO MANZANAS DE AQUÍ!)

AHORA ESTO VA EN SERIO.

EN ESTOS MOMENTOS, UN POBRE REPARADOR DE CARTELES A QUIEN LE FALTABAN CINCO MINUTOS PARA SALIR DEL TRABAJO ESTÁ CONTEMPLANDO ESE ANUNCIO Y SUSPIRA.

EL TRUCO PARA CALCULAR ECUACIONES CUADRÁTICAS DE MEMORIA SE LLAMA DESCOMPOSICIÓN EN FACTORES. OS LO DICE ALGUIEN QUE SE PASA EL DÍA ENTERO CALCULANDO ECUACIONES CUADRÁTICAS DE MEMORIA, NO ALGUIEN QUE HA HECHO UNA BÚSQUEDA RÁPIDA "SECRETO PARA CALCULAR ECUACIONES CUADRÁTICAS DE MEMORIA" + "ES UNA EMERGENCIA".

LA LÍNEA TEMPORAL NO MIENTE, CHICA ARDILLA. SI TE QUEDAS AQUÍ, MORIRÁS AHORA MISMO, Y SI TE MARCHAS, MORIRÁS MÁS TARDE. NO IMPORTA. YA HE *TRIUNFADO*.

TRAYECTORIA POR LA QUE CHICA ARDILLA HA ARROJADO A TODO EL MUNDO

SALA DE REUNIONES *IMPROVISADA* (AHORA EN ESCOMBROS, GRACIAS A MUERTE)

PISCINA EN LA AZOTEA (¡JUSTO DONDE DECÍA EL ANUNCIO!)

CURVA PARABÓLICA MUY BIEN *TRAZADA*

SPLASH

¡EH, CUÁNTO ME *ALEGRO* DE QUE TODOS VOSOTROS SUPIERAIS NADAR!

VEAMOS. LA BUENA NOTICIA ES QUE *MUERTE* NO NOS HA SEGUIDO. NO CREO QUE QUIERA LLAMAR LA ATENCIÓN.

SE ESTÁ PREPARANDO. QUIERE HACERSE CON EL PODER EN TODO EL MUNDO, Y GRACIAS A MI *TELÉFONO* Y A LA WIKIPEDIA DE LOS CATAPLINES, AHORA DISPONE DE UN ARTÍCULO QUE LE EXPLICA PRECISAMENTE CÓMO HACERLO.

Y ESTÁ *CONVENCIDO* DE QUE TU TELÉFONO ES LA PRUEBA DE SU FUTURA VICTORIA Y NO PUEDE SALIR DERROTADO.

Y SE *EQUIVOCA*, ¿VERDAD?

¿VER-DAD...?

Entretanto, en el presente (¿Mejorado?)...

UH. LA *CAMA* ES DE METAL. EL CUARTO TAMBIÉN.

NO ERA ASÍ CUANDO ME *ACOSTÉ*. ESTO ES... NUEVO.

OH.

JOLÍÍÍÍÍÍN...

¿Quién es ese tío del futuro? ¿Qué va a hacer en el futuro?

¿Chica Ardilla, Patitas y Nancy tendrán que fastidiarse para siempre?

¿Y el resto del planeta -que debe de tener su importancia- también tendrá que fastidiarse para siempre?

¡En el próximo episodio sabremos las respuestas!

The Unbeatable Squirrel Girl vol. 2, #4 USA

Doreen Green no es una simple estudiante de primer año de Informática. ¡Tiene en secreto los poderes de una chica y de una ardilla! Y utiliza sus asombrosas habilidades para luchar contra el crimen y estar irresistible. La conoceréis como... ¡la imbatible Chica Ardilla! Vamos a ver el resumen de lo que ha hecho hasta ahora...

la Chica Ardilla

en dos palabras

[X] URGENTE

MIENTRAS ESTABAS FUERA

A **Las Naciones Unidas**

De **Chica Ardilla**

Miembro de ~~El presente~~ **El presente**

[X] TELEFONEÓ   [ ] POR FAVOR, LLAMA

[ ] PASÓ A VERTE   [ ] VOLVERÁ A LLAMAR

[X] QUIERE VERTE   [ ] DEVOLVIÓ TU LLAMADA

Mensaje *Mensaje Mirad, tíos, el Dr. Muerte ha retrocedido en el tiempo hasta los años 60 (que son ahora) (obviamente) y piensa hacerse con el poder en el mundo entero MAÑANA MISMO si no lo detenemos, pero resulta que tienen una Wikipedia del futuro que dice que va a triunfar, así que no sé muy bien qué puedo hacer, si se os ocurre algo soy toda oídos (y no es ningún chiste, aunque me ponga unas orejas postizas para estar guapa).*

[ ] URGENTE

MIENTRAS ESTABAS FUERA

A **Nancy Whitehead**

De **Chica Ardilla**

Miembro de *El piso que compartimos porque somos compañeras de piso*

[X] TELEFONEÓ   [ ] POR FAVOR, LLAMA

[ ] PASÓ A VERTE   [X] VOLVERÁ A LLAMAR

[ ] QUIERE VERTE   [ ] DEVOLVIÓ TU LLAMADA

Mensaje *Mensaje ¡¡Nancy ha estado muy guay que viajaras al pasado para rescatarme a mí y al resto de estudiantes de Informática atrapados aquí!! P. D. Como sé que no tienes móvil, ¿podrías responderme con uno de estos papeles que tengo a millares? [ ] sí [ ] no*

[ ] URGENTE

MIENTRAS ESTABAS FUERA

A **Sr. y Sra. Stark**

De **Chica Ardilla**

Miembro de **Fans de Iron Man**

[ ] TELEFONEÓ   [ ] POR FAVOR, LLAMA

[X] PASÓ A VERTE   [ ] VOLVERÁ A LLAMAR

[ ] QUIERE VERTE   [ ] DEVOLVIÓ TU LLAMADA

Mensaje *Mensaje ¡¡Eh ya sé que no sabéis quién soy, pero lo único que quería deciros es que durante las próximas décadas deberíais tener un niño y llamarlo Tony!! Ya me lo agradeceréis más adelante.*

Ryan North Guión
Erica Henderson Dibujo
Rico Renzi Color
Forja Digital Rotulación
Erica Henderson Portada
John Tyler Christopher Portada alternativa

Gracias a
CK Russell y Lissa Pattillo

Entretanto, en los años 60...

EL AGUA ME HA AVERIADO EL *MÓVIL*.

BUENO, MARY, ESTOY *SEGURA* DE QUE SI EL DR. MUERTE LLEGA A PULVERIZARTE HABRÍA QUEDADO AÚN *PEOR*.

HABLANDO DE LO CUAL, TENDRÍAMOS QUE REAGRUPARNOS. ACABA DE *FREGAR* EL SUELO CON NOSOTROS.

NO ESTOY *SEGURA* DE QUE PODAMOS VENCERLE. ES QUE, ¿SABES?, SE TRATA DEL DR. MUERTE. ES DOCTOR EN MUERTE.

ADEMÁS, YA *FIGURA* COMO VENCEDOR EN LA LÍNEA TEMPORAL. Y NO ES QUE QUIERA QUEDARME AQUÍ SENTADA DISCUTIENDO SOBRE EL *DESTINO*, PERO SI LA WIKIPEDIA DEL FUTURO DICE QUE NO VAS A GANAR, ENTONCES QUIZÁ, SOLO DIGO QUIZÁ, ES QUE NO VAS A GANAR.

¡¡ANDA YA, *NANCY*! PUEDE QUE FUERA UN CASO DE VANDALISMO, *¿EH?*

MIRAD, YA SÉ QUE SOMOS UNA *CUADRILLA* DE ESTUDIANTES DE INFORMÁTICA EMPAPADOS Y CON LOS MÓVILES ESTROPEADOS.

PERO, ¿SABÉIS?, TAMBIÉN SÉ QUE DEBEMOS *INTENTARLO*.

ADEMÁS, *NO* PODRÍA LLAMARME A MÍ MISMA "LA IMBATIBLE CHICA ARDILLA" SI ME DEJARA *DERROTAR* POR UNA AMENAZA TAN INSIGNIFICANTE COMO PUEDE SER UN GENIO LOCO DE LA CIENCIA Y LA MAGIA QUE VIAJA EN UNA MÁQUINA DEL TIEMPO Y *VISTE* UN TRAJE ROBOT, ¿VALE?

NO QUIERO QUE DENTRO DE UNOS *AÑOS* LOS QUE ME BUSQUEN A MÍ ENCUENTREN UNA *IMAGEN* CON UN TEXTO QUE *DIGA*...

"BUENO, LO TENÍA TODO EN *CONTRA*, ASÍ QUE NO LO INTENTÉ Y AHORA EL DR. MUERTE ES EL *REY*. ¡LÁSTIMA!"

¿CUÁN MEJOR SERÍA EL MUNDO SI EL DR. MUERTE SE HUBIERA MANTENIDO FIEL A SU NOMBRE ORIGINAL "DR. GENIO LOCO DE LA CIENCIA Y LA MAGIA? MI ESTIMACIÓN: UN 5.000%, COMO MÍNIMO.

EXACTO. TAL COMO YO LO ENTIENDO, EL *ÚNICO* MOTIVO POR EL QUE MUERTE NO ESTÁ HACIENDO LO MISMO CON SU *MÁQUINA DEL TIEMPO* ES QUE SE HA ENCONTRADO CON UN *FUTURO* EN EL QUE TRIUNFA, Y NO QUIERE CORRER EL RIESGO DE ALTERARLO Y ECHARLO A *PERDER*. ENTONCES...

ECHÉMOSLO A *PERDER* NOSOTROS.

ESCUCHAD, ¿TENEMOS *CLARO* LO DE LOS DINOSAU- RIOS?

¡¿QUÉ?!

NO CREO QUE LOS DINOSAURIOS VAYAN A *PERMITIR* QUE NOS SUBAMOS A SU LOMO, Y TODAVÍA MENOS QUE SE *COMAN* TAN SOLO A LOS TÍOS QUE NOS CONVENGAN.

SERÍA MEJOR QUE FUÉRAMOS AL *FUTURO*, ROBÁRAMOS TECNOLOGÍA GUAY DEL *FUTURO* Y LA UTILIZÁRAMOS AQUÍ.

¿CÓMO DERROTAR AL DR. MUERTE? OPCIÓN Nº 2:

¡TECNOLOGÍA GUAY DEL FUTURO!

¿SABÉIS QUÉ? AHORA QUE LO PIENSO, PODRÍAMOS ENCONTRAR MANERAS MÁS *INTELIGENTES* DE USAR UNA MÁQUINA DEL TIEMPO PARA *DERROTARLO*. COMO...

MI PRIMER LIBRO PARA CONQUISTAR EL MUNDO

Todos los motivos por los que tú, y solo tú, tendrías que apoderarte del mundo entero

VIC

BEBÉ MUERTE

La alegría de escuchar en silencio y saber ceder en el momento oportuno

¿CÓMO DERROTAR AL DR. MUERTE? OPCIÓN Nº 3:

¡UNA SELECCIÓN DE LECTURAS INFANTILES MÁS ADECUADA!

"MI PRIMER LIBRO PARA CONQUISTAR EL MUNDO" ES EL TERCER LIBRO DE LA SERIE, PRECEDIDO POR "MI PRIMER LIBRO PARA APRENDER A LEER CUANDO TODAVÍA SOY LITERALMENTE UN BEBÉ" Y "MI PRIMER LIBRO PARA APRENDER A HABLAR DE MÍ MISMO EN TERCERA PERSONA, NO SIEMPRE, PERO SÍ EL TIEMPO SUFICIENTE PARA QUE TODO EL MUNDO SE ENTERE DE QUE ESO ES LO MÍO".

DOS COMENTARIOS. PRIMERO: *TODAS* VUESTRA IDEAS SON, SIN LUGAR A DUDAS, *EXCELENTES*.

SEGUNDO: ¡LO *MEJOR* DE TODO ES QUE NI SIQUIERA TENEMOS QUE ELEGIR, PORQUE CON LA *MÁQUINA DEL TIEMPO* PODRÍAMOS PROBARLAS TODAS Y *APLICAR* LA QUE MEJOR NOS *SALGA*!

PIENSO QUE DEBERÍA *IR* LA QUE TIENE SUPERPODERES.

¡*SÍ*! PATITAS Y YO NOS ACERCAREMOS CON SIGILO, NOS LLEVAREMOS LA MÁQUINA DEL TIEMPO, VOLVEREMOS TIEMPO ATRÁS Y NOS LA *DAREMOS* A NOSOTRAS MISMAS *AHOOORA*...

¡MISMO!

AHOOORA *MISMO*.

AHORA. AHORAAHORAAHORA.

AHORAAAA.

¿AHORA... *MISMO*?

BUENO, CREO QUE TENDREMOS QUE IR FÍSICAMENTE EN *BUSCA* DE MUERTE, AGARRAR LA MÁQUINA Y VOLVER ATRÁS EN EL *TIEMPO* ANTES DE QUE MI *YO* FUTURO *VUELVA* AL PASADO Y ME LA DÉ. CARAY.

Y YO QUE PENSABA QUE EL *VIAJE* EN EL TIEMPO FACILITABA LAS *COSAS*.

ENTRETANTO, POR SI SE *PRODUJERA* UN INVEROSÍMIL FRACASO, HE TRAZADO UN *PLAN B* QUE LOS DEMÁS PODRÍAMOS ESTUDIAR.

¡¿UN PEM?! YO CREÍA QUE PARA ESO SE NECESITABA UNA *BOMBA NUCLEAR*.

¿TE *DEDICAS* A LAS BOMBAS NUCLEARES, MARY?

NO, NO ME *DEDICO* A LAS BOMBAS NUCLEARES.

POKE

OS VOY A DAR UNA *PISTA*: EMPIEZA CON "PULSO" Y *TERMINA* CON "ELECTROMAGNÉTICO", Y GIRA ALREDEDOR DE UN *PULSO* ELECTROMAGNÉTICO.

LAS PIEZAS SON DEMASIADO *CARAS*.

NO APARECE EN EL CÓMIC: UNA ESCENA EN LA QUE TODO EL MUNDO SE MARCHA, APARECE LA CHICA ARDILLA CON LA MÁQUINA DEL TIEMPO, VE QUE TODOS SE HAN MARCHADO Y DICE: "JOLÍN, TENDRÍA QUE PONERME EL RELOJ CUANDO VOY DE UNIFORME, PORQUE SI NO PIERDO TOTALMENTE EL SENTIDO DEL TIEMPO", Y VUELVE A DESAPARECER.

Luego, en Central Park...

SUERTE QUE SE NOS OCURRIÓ QUE "MUERTE ES UN HOMBRE QUE *DISFRUTA* DE SUS *CASTILLOS*", *PATITAS*.

¡*SUERTE* PARA NOSOTROS QUE ESAS GENTES DEL PASADO REMOTO *ABANDONARON* EL CASTILLO DE CENTRAL PARK EN LOS 60, PORQUE SI NO AHORA ESTARÍA LUCHANDO CON ELLAS!

¿POR QUÉ HABLAS DEL "PASADO *REMOTO*"? NO HEMOS RETROCEDIDO TANTO, PATITAS. MUCHA *GENTE* DE ESTA ÉPOCA AÚN VIVE EN LA NUESTRA.

¡SÍ, CLARO! ¡LOS *HUMANOS*! PERO LAS ARDILLAS NO LLEGAMOS A LOS CIEN AÑOS, *DOREEN*.

PFFT. SEGURO QUE *TÚ* SÍ.

ESTO ESTÁ DEMASIADO OSCURO. NO VEO *NADA*. HA ESTADO AQUÍ, NO ME CABE *DUDA*, PERO...

¡ESPERA! ¡VIENE *ALGUIEN*!

¡ES EL DR. *MUERTE*!

¿Y ESTÁ... UH... DIS-FRAZADO?

¡POR SUPUESTO! ¡QUIERE *EVITAR* RIESGOS ANTES DE MANIFESTARSE AL *MUNDO*!

TENGO QUE *VERLO*.

LA VERDAD ES QUE ESE *CHAL* LE SIENTA BIEN.

SÍ, DESDE LUEGO, YO QUIERO UNO *IGUAL*.

MUERTE PODRÁ DECIR QUE NO SABE LO QUE ES EL COSPLAY, PERO PARECE QUE TENGA UN TALENTO INNATO PARA ELLO.

TODO EL QUE SE GANE LA VIDA CON EL DESTORNILLADOR DEBERÍA RECORDAR TODOS LOS TORNILLOS QUE HA ATORNILLADO Y DESATORNILLADO EN SU VIDA, Y ENTONCES INCLINAR LA CABEZA Y SUSURRAR CON VOZ QUEDA: "HOY ES EL DÍA EN EL QUE CONCUERDO CON MUERTE".

¡EH! ¡MUERTE! *PARECE* QUE A TU PLAN PARA CONQUISTAR EL MUNDO LE *FALTA* EL... ¿¿TIEMPO??

¡CHHK CHHHT!

KRRRMMMM

KRRRMMMM

KRRRMMMM

¡VENGA, *MÁQUINA* IDIOTA! ¡¡SURCA EL TIEMPO DE UNA *VEZ*!!

KRRRMMMMMMMMmmm

YOINK

¡¡AAHH!!

¡¿DE VERDAD QUE CREÍAS A MUERTE TAN NECIO COMO PARA DESATENDER SU *MÁQUINA DEL TIEMPO* SIN DEJARLA EN MODO A PRUEBA DE *FALLOS*?!

¿QUÉ? ¡¿"A PRUEBA DE FALLOS"?!

EN EFECTO. UN MODO QUE BLO-QUEA LOS CIRCUITOS TEMPORALES, DE TAL MODO QUE LA MÁQUINA TAN SOLO PUEDE *MOVERSE* ADELANTE EN EL TIEMPO, A UNA VELOCIDAD DE UN SEGUNDO POR *SEGUNDO*.

NO ME DIGAS. ¿HABÍAS DEJADO TU *RIDÍCULA* MÁQUINA EN PUNTO *MUERTO*?

¡¡SOLO UNA *NECIA* LLAMARÍA "RIDÍCULA" A LA MÁQUINA DEL TIEMPO DE *MUERTE*!!

¡AY!

¡Y *CARAY*, TÍO!

LOS VIAJES POR EL TIEMPO A UN SEGUNDO POR SEGUNDO SON MUY HABITUALES. ¡¡ME APOSTARÍA DINERO CONTANTE Y SONANTE A QUE AHORA MISMO ESTÁS VIAJANDO A ESA VELOCIDAD!!

MIRA, MUERTE, NO QUIERO PELEAR **CONTIGO**, Y ALGO ME DICE QUE TÚ TAMPOCO QUIERES **PELEAR** CONMIGO.

POR EL **CONTRARIO.**

NADA ME GUSTARÍA **MÁS.**

VALE. VALE, **YA** LO VEO. DÉJAME QUE TE LO **DIGA** DE OTRO MODO.

SWOOOSH

YO NO **QUIERO** QUE NOSOTROS DOS NOS PELEEMOS, ¿VALE? Y SÍ, DE ACUERDO, AHORA MISMO QUERÍA ROBARTE LA MÁQUINA DEL TIEMPO. ¡PERO TAN SOLO PARA QUE ESTO **TERMINARA** PACÍFICAMENTE, MUERTE!

¡TIENE QUE HABER ALGÚN MODO DE QUE **AMBOS** CONSIGAMOS LO QUE QUEREMOS!

MUERTE QUIERE **GOBERNAR** EL MUNDO Y NO SE CONTENTARÁ CON **MENOS.** SI NO ESTÁS DE ACUERDO, NO HAY DIÁLOGO **POSIBLE.**

PERO OYE, SI UNA VEZ **LLEGUÉ** A DIALOGAR CON GALACTUS. ¡CON GALACTUS, TÍO! ESTOY **SEGURA** DE QUE TAMBIÉN PODREMOS ARREGLAR ESTO.

JA. GALACTUS ES UN **NIÑO,** INCAPAZ DE PENSAR EN **NADA** QUE NO SEA SU PRÓXIMA **COMIDA.**

¡¡ESTÁ **ENCADENADO** EN LA BASE DE LA PIRÁMIDE DE MASLOW, **DOMINADO** POR LAS NECESIDADES BÁSICAS A LAS QUE MUERTE HA DERROTADO, IGUAL QUE **DERROTARÁ** A TALES "DIOSES" PATÉTICOS!!

KRASH

CARAY, ¿ACABAS DE CITAR LA **PIRÁMIDE DE LAS NECESIDADES DE MASLOW** EN UNA PELEA A PUÑETAZOS?

POR SI NO LO SABÍAIS, LA PIRÁMIDE DE LAS NECESIDADES DE MASLOW VIENE A DECIR QUE "UALA, A TODOS NOSOTROS NOS SALE EL MALVADO QUE LLEVAMOS DENTRO CUANDO ESTAMOS HAMBRIENTOS, O TRISTES, O LO QUE SEA, CARAY". PERO LAS PALABRAS "UALA" Y "CARAY" APARECEN EN EL LIBRO DE MASLOW TODAVÍA MENOS VECES QUE EN MI RESUMEN (PEOR PARA ÉL).

OYE, PUES... ME TIENES IMPRESIONADA DE **VERDAD**.

MUERTE **DOMINA** LA TEORÍA PSICOLÓGICA, IGUAL QUE **PRONTO** VA A DOMINAR ESTE **PLANETA**.

PORQUE, MUERTE...

...LO **DOMINA**...

...TO-DO.

ESTÁ **BIEN**, ¿Y CUANDO TE IMAGINAS QUE LO DOMINAS TODO, NO SE TE **OCURRE** QUE QUIZÁS, Y FÍJATE QUE SOLO DIGO QUIZÁS, PODRÍAMOS **NEGOCIAR**...?

NEGOCIAR **IMPLICARÍA** HACER CONCESIONES. CONTENTARME CON MENOS. ES EL **ÚLTIMO** RECURSO DE LOS QUE NO PUEDEN IMPONER SU **VOLUNTAD**.

¡SOLO NEGOCIAN LOS **DÉBILES**!

ERES...

...ERES UN **BUEN** ESPECTÁCULO, VICTOR. HABLAS COMO UN MONSTRUO, ACTÚAS COMO UN **MONSTRUO**, TE PONES UN TRAJE QUE DA **MIEDO**.

PERO TENGO **MALAS** NOTICIAS PARA TI:

YO **NO CREO** EN MONSTRUOS.

BAJO ESA **FRÍA** MÁSCARA DE METAL, AÚN ERES HUMANO. **HUMANO** COMO YO.

PIENSO QUE **ATENDERÁS** A RAZONES.

Y NO CREO QUE LOS HUMANOS **DEJEN** DE SER HUMANOS, AUNQUE SE HAGAN PASAR POR MONSTRUOS.

ENTONCES, MORI-RÁS.

¡¡VALE, TÍO, YO LO INTENTO, PERO **NO** ME LO ESTÁS PONIENDO **FÁCIL**!!

RES UN BUEN ESPECTÁCULO, VICTOR. HABLAS COMO UN MONSTRUO, ACTÚAS COMO UN MONSTRUO, TE CUBRES LA ARMADURA CON PIELES PURPÚREAS, HACES MALABARISMOS, TEAS PLATILLOS SOBRE UN PALO, BAILAS SIGUIENDO EL RITMO CON LAS MANOS DESPLEGADAS... PUES SÍ, ES UN ESPECTÁCULO IMPRESIONANTE, Y EXTREMADAMENTE CONFUSO.

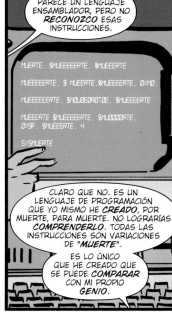

ES UN BUEN LENGUAJE PORQUE ME HACE PENSAR EN MÍ MISMO. Y EN LA MUERTE EN GENERAL. ASÍ PUES, SUMAMOS DOS MOTIVOS DISTINTOS.

KLIK KLIK KLIK KLIK

KLIK

* DAME * ESO *

YOINK

¡EH!

AH, UN GENERADOR DE PULSO ELECTROMAGNÉTICO. *NO* HABRÍA SIDO MALA IDEA, SI HUBIESEN *FUNCIONADO.*

PODRÍAN HABER AFECTADO INCLUSO A MIS *MUERTEBOTS.*

BREVE-MENTE.

PERO TALES PULSOS SON UNO DE LOS PRIMEROS *PELIGROS* CONTRA LOS QUE PROTEGÍ MI ARMADURA.

POR LO TANTO, ESTE ATA-QUE NO ES *MÁS* QUE UN GESTO *FÚTIL...*

...FÁCIL DE *FRUSTRAR.*

EH, OYE, TÍO, ESE GENERADOR DE PEM NO ERA TUYO, NO TENÍAS DERECHO A *ROMPERLO.* YA SÉ QUE AHORA TRATARÁS DE *PEGARME,* PERO TE LO DIRÉ IGUALMENTE:

ERES UN *MALE-DUCADO.*

ALGUNAS DE LAS FRASES QUE MUERTE HA PROGRAMADO EN SUS MUERTEBOTS SON: * DAME * ESO *, * MUERTE * ES * GUAPO * E * INTELIGENTE *. DE HECHO, CON ESAS DOS TENDRÉIS EL 90%.

POR FAVOR, MUERTE, ESCÚCHA-ME. POR EL *BIEN* DE AMBOS, TE...

YA HE *ESCUCHADO* BASTANTE, MUJER. CUANDO HAYÁIS MUERTO, MI FUTURO *QUEDARÁ* GA-RANTIZADO.

VOY A PONER A SALVO ESE *FUTURO*.

¿ESTO VA EN *SERIO*, MUERTE? SÍ, VA EN SERIO.

TE JURO QUE SI ESE QUE LLEGA AHORA ERES TÚ DE VIEJO Y HAS VENIDO AL *PASADO* PARA AYUDARTE A TI MISMO A VENCER, NO TENDRÉ NINGÚN *REPARO* EN MOLERTE A PATADAS EL CULO EN VERSIÓN *ANCIANO*. Y NO HAGAS COMO SI NO TE *ENTERARAS*.

ZZZZZZZT

¿QUÉ... OTRO *VIAJERO DEL TIEMPO*?

¡EH, TÚ, *VIAJERO DEL TIEMPO*! ¡NO TE CREAS QUE PORQUE ESTÉS *MAYOR* NO TE VOY A PEGAR!

¡¡LE *PEGUÉ* UNA PALIZA A STEVE ROGERS Y YA TENÍA UN *MONTÓN* DE AÑOS!!

VALE, CREO QUE *SÍ*. DEBERÍAMOS ESTAR EN LOS AÑOS 60, PERO...

¡SILENCIO! ¡¿QUIÉN HA OSADO *ATAVIARSE* CON LA ARMADURA DE MUERTE?!

¿EH? YO...

AHHH MIERDA PERO SI ES EL DR. MUERTE.

LUEGO, CUANDO ME DISCULPÉ POR LA PALIZA, STEVE ROGERS ME LLAMÓ "HIJO". STEVE, TÍO... YO YA NO SÉ QUÉ PENSAR.

The Unbeatable Squirrel Girl vol. 2, #5 USA

Doreen Green no es una simple estudiante de primer año de Informática. ¡Tiene en secreto los poderes de una chica y de una ardilla! Y utiliza sus asombrosas habilidades para luchar contra el crimen y estar irresistible. La conoceréis como... ¡la imbatible Chica Ardilla! Vamos a ver el resumen de lo que ha hecho hasta ahora...

la Chica Ardilla

en dos palabras

URGENTE

MIENTRAS ESTABAS FUERA

A __Las Naciones Unidas__

De __Chica Ardilla__

Miembro de __Las Chicas Ardillas de la Costa Este__

[X] TELEFONEÓ　　[ ] POR FAVOR, LLAMA

[ ] PASÓ A VERTE　　[ ] VOLVERÁ A LLAMAR

[X] QUIERE VERTE　　[ ] TE HA DEVUELTO LA LLAMADA

Mensaje __Hum, yo os avisé de que el Dr. Muerte había retrocedido en el tiempo hasta los años 60 (o sea, LA ÉPOCA ACTUAL), ¿y qué habéis hecho? NADA, y por ello mis amigos y yo hemos inventado los ~~generadores PEM hemos encontrado~~ unos generadores PEM tirados por ahí y hemos tratado de detenerlo, pero no ha funcionado. ¡ASÍ QUE GRACIAS POR NADA, NACIONES UNIDAS!__

URGENTE

MIENTRAS ESTABAS FUERA

A __Las Naciones Unidas__

De __Chica Ardilla__

Miembro de __Soy la misma de la nota anterior__

[X] TELEFONEÓ　　[X] POR FAVOR, LLAMA

[ ] PASÓ A VERTE　　[ ] VOLVERÁ A LLAMAR

[ ] QUIERE VERTE　　[ ] TE HA DEVUELTO LA LLAMADA

Mensaje __Ah, Y además Muerte ha construido MUERTEBOTS (duplicados robot de sí mismo) y los ha programado con un "lenguaje de MUERTensamblaje" que ha inventado, así que si el Dr. Muerte nos derrota y conquista el mundo lo único que puedo deciros es que todas las instrucciones son variantes de "MUERTE" y debe de ser un tormento programar con eso, la verdad.__

URGENTE

MIENTRAS ESTABAS FUERA

A __Las Naciones Unidas__

De __Chica Ardilla__

Miembro de __Sí, ahora me diréis que no sabéis quién soy, anda ya__

[ ] TELEFONEÓ　　[ ] POR FAVOR, LLAMA

[ ] PASÓ A VERTE　　[ ] VOLVERÁ A LLAMAR

[X] QUIERE VERTE　　[ ] TE HA DEVUELTO LA LLAMADA

Mensaje __¡¡Y además hay un tío que se llama Cody y que ha venido del futuro (o sea, de mi presente) conmigo ya vieja!! ¡¡Ja ja SÍ SOY DEL FUTURO y en los años 60 ni siquiera había nacido!! ¡¡Ya me da igual decíroslo, gentes de las Naciones Unidas, porque total, NADIE se lee estas notas, aunque tenga la amabilidad de ponerlas en vuestro patético tablón de anuncios!!__

Ryan North
Guión

Erica Henderson
Artista

Rico Renzi
Color

BUENO, VAMOS A VER: ME LLAMO CODY Y TODO ESTO EMPEZÓ CUANDO UNA TÍA MÍA, UNA MUJER RARA A LA QUE NO CONOCÍAMOS, MURIÓ, Y ME DEJÓ... ESTO. MIRAD: MI *HERENCIA*.

HERENCIA SECRETA

NI IDEA DE LO QUE ERA, PERO TENÍA UN INTERRUP- TOR Y UN *GATILLO*.

Y ENTONCES... *¿DISPARÉ?*

ZZZOT

LO PRIMERO QUE PENSÉ FUE: "¡QUÉ *CHULO*, UN RAYO DE INVISIBILIDAD!" PERO EL ÁRBOL YA NO ESTABA.

MI SIGUIENTE IDEA: UN RAYO DESINTEGRADOR, ¿NO? ¡QUÉ LOCURA! ERA UN *PELIGRO*.

ASÍ QUE LO UTILICÉ *POCAS* VECES.

ZZZOT

TÍO GUAY

ME AYUDABA A TENER LA HABI- TACIÓN *LIMPIA*, ¿SABÉIS?

PERO SUCEDÍAN DOS COSAS RARAS. LA PRIMERA: NADIE, EXCEPTO YO MISMO, RECORDABA QUE LOS OBJETOS *DESINTEGRADOS* HUBIERAN ESTADO ALLÍ...

PERO SI NO TENÍAMOS UNA PAPELERA EN LA HABITACIÓN, ¡¿A DÓNDE ECHÁBAMOS LAS PIELES DESPUÉS DE *COMERNOS* LOS PLÁTANOS??!

NUNCA HABÍAMOS NECESITADO UNA PAPELERA.

¡¿Y *ESTO*?!

NUESTRAS MEJORES TÍAS SON LAS RARAS. ¡AHORA LO SABÉIS, GRACIAS A NOSOTROS!

TODO ESTO ERA MUY MISTERIOSO, ¿VERDAD? PERO ENTONCES DESCUBRÍ QUE UNA MISTERIOSA PAPELERA HABÍA CAÍDO DE LOS *CIELOS* A PRINCIPIOS DE LOS AÑOS 60.

HISTORIAS RARAS DE HOY

"Transeúnte junto a la papelera"

MI PAPELERA HABÍA *CAÍDO* EN EL MISMO SITIO DONDE IBA ESTAR LA RESIDENCIA DE ESTUDIANTES 50 AÑOS DESPUÉS.

MIS INVESTIGACIONES EN LA BIBLIOTECA ME LLEVARON A DESCUBRIR QUE EL ÁRBOL *DESINTEGRADO* TAMBIÉN HABÍA REAPARECIDO, ¡POCAS SEMANAS ANTES QUE EL CUBO! HABÍAN REFORMADO LA CALLE EN LOS 80, ASÍ QUE CUANDO EL ÁRBOL VIAJÓ A LOS 60...

NEW YORK ✦ BULLETI

★★ FINAL ★★

UNOS BROMISTAS PLANTAN UN ÁRBOL EN PLEN CALZADA DURANTE LA NOCH

LAS BROMAS DE LOS ESTUDIANTES ESTÁN DE MODA EN LOS 60, PERO DE TODOS MODOS ESTA HA SIDO IMPRESIONANTE.

LA POLICÍA ADVIERTE DE QUE LOS ÁRBOLES EN PLENA CALZADA NO SON "DABUTEN".

LA POLICÍA ESCRIBE L PALABRA "DABUTEN ENTRE COMILLAS. ¡QU PURETAS!

...APARECIÓ EN *MEDIO* DE LA CALZADA.

NO ERA UN RAYO *DESINTEGRADOR*. ¡ERA UNA MÁQUINA DEL TIEMPO!

Y SI DISPARABA CONTRA ALGO, LO *MANDABA* A UN MOMENTO ALEATORIO A PRINCIPIOS DE LOS 60 Y AL MISMO TIEMPO LO BORRABA DE LA HISTORIA.

Y EN AQUEL MOMENTO... LAS *CLASES* ME IBAN MAL.

Y SACABA NOTAS MUY *BAJAS*.

Y SE ME OCURRIÓ QUE, SI TODOS LOS *ESTUDIANTES* QUE SACABAN BUENAS NOTAS DESAPARECÍAN DE LA HISTORIA, LAS NOTAS DE LOS DEMÁS SERÍAN MÁS ALTAS. ¿VERDAD?

Y UNA VEZ HUBE EMPEZADO, ME COSTÓ *PARAR*...

¡SI CONSULTAS EL PRIMER NÚMERO DE LA PRIMERA SERIE DE LA CHICA ARDILLA, VERÁS A CODY EN CLASE, COMO SI HUBIÉRAMOS ESTADO PREPARANDO ESTE ARGUMENTO DESDE EL PRINCIPIO! SÍ, SOMOS UNOS MAGNÍFICOS PROFESIONALES DEL CÓMIC, Y ES EVIDENTE QUE NO IMPROVISAMOS LAS HISTORIAS A MEDIDA QUE LAS VAMOS SACANDO

¡QUEDAOS QUIETAS, MUJERZUELAS! ¡MIS **MUERTEBOTS** Y YO QUEREMOS DESTRUIROS!

¿QUÉ TE PASA, MUERTE? ¿ESTO DE NO PODER DARNOS NI A MÍ NI A MI YO MÁS **ANCIANO** NO ES UN POCO... NO SÉ...?

¿¿...VIE-JO??

SNAK

¡GUAU!

BUENO, HABLEMOS DE CHICA ARDILLA A CHICA ARDILLA: ¿DE VERDAD ERES YO MISMA EN EL FUTURO?

SÍ. ¡PERO EL PROBLEMA ES QUE ESE FUTURO ES UN ASCO! LA PRIMERA VEZ QUE **LUCHÉ** EN ESTA BATALLA CON MUERTE, PERDÍ.

¡EXACTO! Y ENTONCES EL MALDITO MUERTE SE **APODERÓ** DEL MALDITO MUNDO Y TUVE QUE CAMBIAR MI NOMBRE POR "LA ESCASAMENTE BATIBLE CHICA ARDILLA, QUE SOLO HA SIDO DERROTADA UNA VEZ".

NO ME DIGAS. ¡ES LO QUE CONTABA LA **MUERTIPEDIA**!

BUF. QUÉ HORROR DE NOMBRE.

¡¿VER-DAD?!

TUVE **PROBLEMAS** CON LA CADENCIA DE MI TEMA.

¡¡Y MUCHO MÁS IMBATIBLE!!

KRAKA-BOOM

¡EH, VOSOTROS, EL EQUIPO DE RODAJE! ¡ACABAMOS DE FILMAR UNA ESCENA MAGNÍFICA! ¡CON ESTAS *CÁMARAS* QUE HEMOS IMPORTADO DE EUROPA! Y HAY ALGO QUE ESTÁ CLARO: ¡ESTO QUE ESTAMOS FILMANDO NO ES MÁS QUE UNA PELÍCULA!

¡EL ARGUMENTO ES TAN *INCREÍBLE* QUE NO OS CREERÍAIS QUE PUDIERA OCURRIR EN LA VIDA REAL! ¡¡Y ESO ESTÁ MUY BIEN, PORQUE ES UNA PELÍCULA!!

NO PUDISTE DERROTARME CUANDO ERAS JOVEN, CHICA ARDILLA ENVEJECIDA, ¿Y OSAS ENFRENTARTE AL DR. MUERTE EN TUS AÑOS *CREPUSCULARES*?

QUÉ *INIMAGINABLE* PRESUNCIÓN.

EL PLAN DE PATITAS DE "FINGIR QUE ESTAMOS RODANDO UNA PELÍCULA PARA QUE NADIE SOSPECHE QUE VENIMOS DEL FUTURO" ES UN PLAN ESTUPENDO, SOBRE TODO SI TENEMOS EN CUENTA QUE SE LE OCURRIÓ A UNA ARDILLA.

¡MIRA QUIÉN *HABLAAAAAA!*

TOSS!

¡AHHHH! ¡YA VOY, YO MÁS *VIEJA!*

TÍA, AHORA ERES UNA GENUINA ARDILLA DE COLA BLANCA. ¿Y SI DEJAS QUE SEA YO LA QUE ATRAVIESE LAS PAREDES DE *PIEDRA* CON MUERTE? ¿EH?

ME HA... BUUF... ME HA... COSTADO *MUCHO*... PERO... LE HE DADO UNA BUENA, ¿VERDAD?

SÍ, LO HAS *HECHO.*

VIENE POR AHÍ. ¿*CÓMO* ESTÁS?

YA HEMOS AGUANTADO MÁS QUE LA ÚLTIMA VEZ QUE ESTUVE AQUÍ. RECUERDA: LOS ESPACIOS CERRADOS JUEGAN EN FAVOR DE MUERTE, PORQUE NO NOS DEJAN SITIO PARA *MANIOBRAR.* ¿PERO AQUÍ, AL AIRE LIBRE, CON TANTOS LUGARES A DONDE SALTAR...?

MUERTE NO *PODRÁ* NI TOCARNOS.

¡GRACIAS, CHICAS ARDILLAS, POR VUESTRO EXCELENTE CONSEJO *ESTRATÉGICO!* ¡AHORA ME QUEDARÉ DENTRO DE UN EDIFICIO, DONDE MUERTE CONTARÁ CON TODAS LAS VENTAJAS!

MUSEO AMERICANO DE HISTORIA NATURAL
¡AHORA CON DINOSAURIOS!

¡¡AY, *JOLÍN!!*

EN REALIDAD, LA FORMA DE PLURAL PREFERIBLE SERÍA "CHICAS ARDILLA", UN PLURAL INTERNO COMPARABLE A "FISCALES DEL ESTADO" Y "COMANDANTES EN JEFE", Y QUE ADEMÁS COMPARTE CON LOS CITADOS TÉRMINOS UN PRESTIGIO ANÁLOGO.

LA VISIÓN CIENTÍFICA ES UN SUPERPODER QUE NO SE BASA EN LAS CAPACIDADES DE UNA ARDILLA, SINO EN LAS COMPETENCIAS BÁSICAS DE UN ESTUDIANTE DE CIENCIAS DURAS. SE ADQUIERE POR MEDIO DEL ESTUDIO DE LA CIENCIA, LA TECNOLOGÍA, LA INGENIERÍA Y/O LAS MATEMÁTICAS.

TODOS LOS QUE SABEMOS EJECUTAR DE MEMORIA PROGRAMAS C++ ESTAMOS DICIENDO "¡JOLÍN!", Y LOS DEMÁS AFIRMAN: "OYE, YO TAMBIÉN PODRÍA EJECUTAR DE MEMORIA ESE PROGRAMA SI ME DIERA LA GANA", Y LUEGO ECHAN UNA MIRADA A SU ALREDEDOR Y PASAN LA PÁGINA ENSEGUIDA PARA VER LO QUE SUCEDE A CONTINUACIÓN.

ESTO... **NO** ME LO ESPERABA.

CLARO QUE NO. Y TE HA CONFUNDIDO, ¿VERDAD? COMO TAN SOLO PROGRAMAS LOS **MUERTEBOTS** EN TU "LENGUAJE DE MUERTENSAMBLAJE", NO HAS APRENDIDO LOS VERDADEROS LENGUAJES DE PROGRAMACIÓN. NO HAS TRATADO NUNCA DE APRENDER DE LOS DEMÁS, PORQUE ESTÁS CONVENCIDO DE QUE ERES EL MÁS INTELIGENTE.

EL GRAN "GENIO" **DR. MUERTE** NI SIQUIERA DOMINA EL C++.

EL C++ ES IRRELEVANTE. Y COMO MIS MUERTEBOTS NO HAN **SUFRIDO** NINGÚN DAÑO, ACABARÉ CONTIGO, Y LUEGO ELLOS ACABARÁN CON TUS AMIGOS.

¡AHH, JA JA JA! ¡EL MENSAJE NO ERA PARA ELLOS, TÍO! ¡ERA PARA MIS AMIGOS! ¡NO **QUERÍA** QUE TÚ LO ENTENDIE-RAS!

PERO ME HA IDO MUY BIEN PARA DISTRAERTE DURANTE EL TIEMPO **NECESARIO** PARA QUE NANCY EJECUTARA ÍNTEGRAMENTE DE MEMORIA LAS CONVERSIONES DE ASCII. ¿QUÉ TAL VA ESO, NANCY?

PFFT. YA LO HE PILLADO.

ZZZOT

"DISPÁRAME CON LA MÁQUINA DEL TIEMPO DE **CODY**, POR FAVOR."

26 horas antes...

¡**SÍ!** ¡TREMENDO!

¡ME ALEGRO TANTO DE QUE LA EMPIRE STATE TODAVÍA ENSEÑE ASCII, EN VEZ DEL FORMATO DE **CODIFICACIÓN** DE CARACTERES UTF, QUE ES MUCHO MÁS POTENTE, PERO TAMBIÉN MUCHO MÁS COMPLICADO...!

SMAK!

¡UNA VEZ MÁS, OS OFRECEMOS DATOS FIDEDIGNOS SOBRE LA CIENCIA INFORMÁTICA! SIEMPRE QUE ALGUIEN DIGA "ASCII", TENÉIS QUE HACER UNA MUECA DE DESPRECIO. POR EL CONTRARIO, CUANDO ALGUIEN DIGA "UTF", TENÉIS QUE RESPONDER: "SÍ, A MÍ TAMBIÉN ME GUSTA MUCHO", Y ASÍ TODO EL MUNDO OS TOMARÁ POR INFORMÁTICOS.

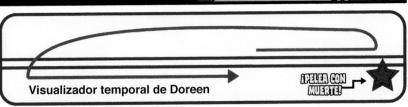

ESE HOMBRE DE NEGOCIOS NO VOLVERÁ A APARECER EN ESTE CÓMIC, ASÍ QUE OS CONTAREMOS AHORA TODA SU HISTORIA: SE LLAMA "PETE McFLEET" Y SUS AFICIONES SON LOS NEGOCIOS, LAS HOJAS DE CÁLCULO Y LOS NEGOCIOS QUE SE REALIZAN CON HOJAS DE CÁLCULO. ¡QUE TE VAYA BIEN EN LA VIDA, PETE McFLEET!

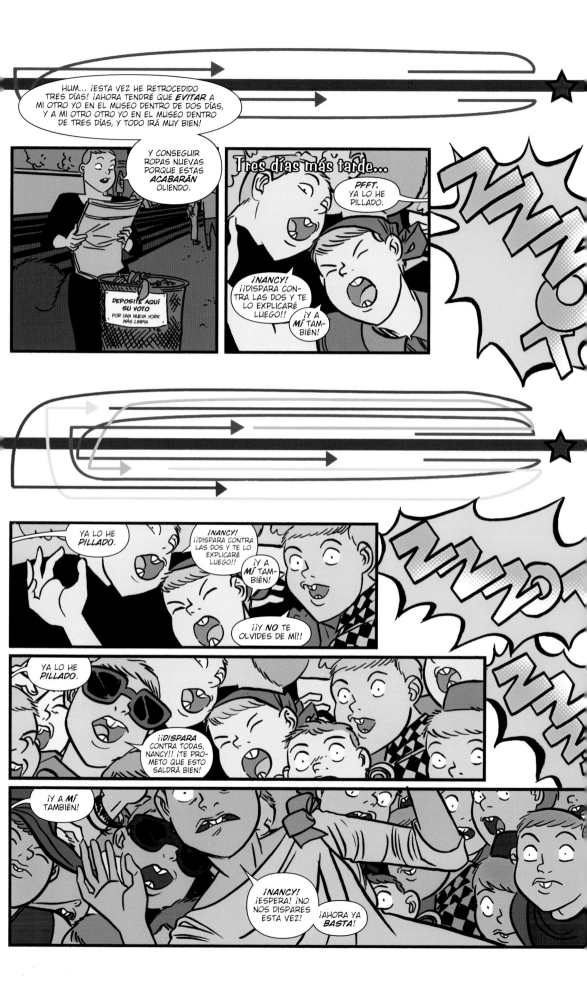

¡¡TODAS ENCIMA!!

HAS QUEDADO ENTERRADO BAJO UNA **MONTAÑA** DE MÍ, MUERTE. ESTO HA TERMINADO.

SI PROMETES QUE DEJARÁS DE **LUCHAR**, QUIZÁ TE SOLTEMOS.

¡¡JAMÁS!!

ESTÁS **DERROTA-DO**, MUERTE. TENEMOS TODO EL TIEMPO DEL MUNDO. LITE-RALMENTE.

¡NO! ¡NO, MIENTRAS ESE RAYO TEMPORAL SE HALLE A MI ALCANCE!

¡AJJ!

BUEN INTENTO, TÍO.

... HARÉTODOLO-QUETÚMEDIGAS-SINOLECUENTAS-ESTOANADIE

¿QUÉ HAS DICHO? ¡NO TE HE OÍDO **BIEN**, MUERTE!

HARÉ TODO LO QUE TÚ ME DIGAS SI NO LE CUENTAS ESTO A NADIE.

¡PERFECTO! Y PARA QUE MÁS ADELANTE NO ME SALGAS CON TRUQUITOS, PROMÉTEME QUE NOS DEVOLVERÁS A MIS AMIGOS Y A MÍ A NUESTRA ÉPOCA **RESTAURARÁS** EL FUTURO, REGRESA-RÁS A TU PROPIO TIEMPO Y NO UTILI-ZARÁS TU MÁQUINA DEL TIEMPO, NI NINGUNA OTRA, PARA RETROCEDER EN EL TIEMPO Y HACER GAM-BERRADAS.

-SIGH-

MUERTE **EMPEÑA** SU PALABRA.

¡EH! ¿NO HABRÁ CRUZA-DO LOS **DEDOS** DETRÁS DE LA ESPALDA?

¡NO!

¡BUENO, PUES YA NOS PODEMOS IR! ¡HEMOS SALVADO EL **FUTURO**!

Y QUIZÁS ALGUIEN HABRÁ APRENDIDO UNA LECCIÓN: QUE EL PODER QUE EMANA DEL TRABAJO EN EQUIPO PUEDE **DERROTAR** FÁCILMENTE A UN HOMBRE SOLITARIO Y AMARGADO.

ESO **NUNCA**.

Y ASÍ, EL FUTURO QUEDÓ RESTAURADO Y TODOS LOS ESTUDIANTES **REGRESARON** A SUS RESPECTIVOS TIEMPOS Y TODO VOLVIÓ A LA NORMALIDAD...

HE **DESHECHO** LAS ALTERACIONES DEL OTRO DISPOSITIVO Y TUS "AMIGOS" YA NO ESTÁN BORRADOS DE LA LÍNEA TEMPORAL.

¿QUÉ? ¡NO ME PONGAS "AMIGOS" ENTRE **COMILLAS**! ¡LA AMISTAD ES REAL Y TE HA MOLIDO A PATADAS!

MUERTE PONE COMILLAS A CUANTO LE **PLACE**.

PFFT. ESTÁ BIEN, PERO RECUERDA QUE HAS PROMETIDO NO CAMBIAR EL PASADO. ¡SIGO **PROTEGIDA** CONTRA TODA ALTE- RACIÓN EN LA LÍNEA TEMPORAL! ¡SI NO CUMPLES TU PA- LABRA, ME VOY A ENTERAR!

LA PALABRA DE MUERTE ES INQUEBRANTABLE. HOY TE HAS GANADO MI RESPETO, CHICA ARDILLA. SON MUY POCOS EN EL UNIVERSO QUIENES PUEDEN **DECIRLO.** ES LO ÚNICO QUE TE PROTEGE.

REZA POR NO **PERDERLO.**

KRA-KA-KOOM

¡MIERDA... DOREEN! ¡¡HEMOS **OLVIDADO** A DOREEN EN EL PASADO!!

¿EH? ESTO... ¿**QUIÉN...**?

¡DOREEN **GREEN**! ¡ESTABA AL **PRINCIPIO**! ¡FUE ELLA LA QUE ORGANIZÓ EL PRIMER ENCUENTRO DESPUÉS DE VERME CON AURICULARES DE TAPÓN!

HUM...

¡QUE SÍ! ¡ERA MÁS O MENOS IGUAL DE ALTA QUE TÚ! ¡Y TENÍA LA MISMA **COMPLEXIÓN**! ¡Y EL MISMO COLOR DE PIEL! OYE, SI HASTA LA VOZ ERA MUY PARECI- DA. Y DESAPARECIÓ EN EL MISMO INSTANTE EN EL QUE TÚ...

...EN EL QUE **APARE- CISTE...**

DIOS MÍO, QUÉ **IDIOTA** SOY.

Y LA CHICA ARDILLA ENVEJECIDA FUE FELIZ DURANTE EL RESTO DE SUS DÍAS Y MURIÓ DE VIEJA, LO CUAL NO ESTÁ NADA MAL, EN EL CASO DE QUE NO HAYA MÁS REMEDIO Q... MORIRSE. ¡Y AL HACER TESTAMENTO LE DEJÓ EL RAYO TEMPORAL A CODY Y ASÍ OCURRIÓ TODO LO QUE TENÍA QUE OCURRIR! ¡¡OH, NO!! ¡¡ESA TÍA DE CODY TAN RARA ERA EN...

The Unbeatable Squirrel Girl vol. 2, #1 USA — Cubierta alternativa de **Ben Caldwell** y **Rico Renzi**

The Unbeatable Squirrel Girl vol. 2, #1 USA — Cubierta alternativa de **Phil Noto**

The Unbeatable Squirrel Girl vol. 2, #1 USA – Cubierta alternativa de **Chris Bachalo** y **Tim Townsend**

The Unbeatable Squirrel Girl vol. 2, #2 USA – Cubierta alternativa de **Brittney L. Williams**

The Unbeatable Squirrel Girl vol. 2, #3 USA – Cubierta alternativa de **John Tyler Christopher**

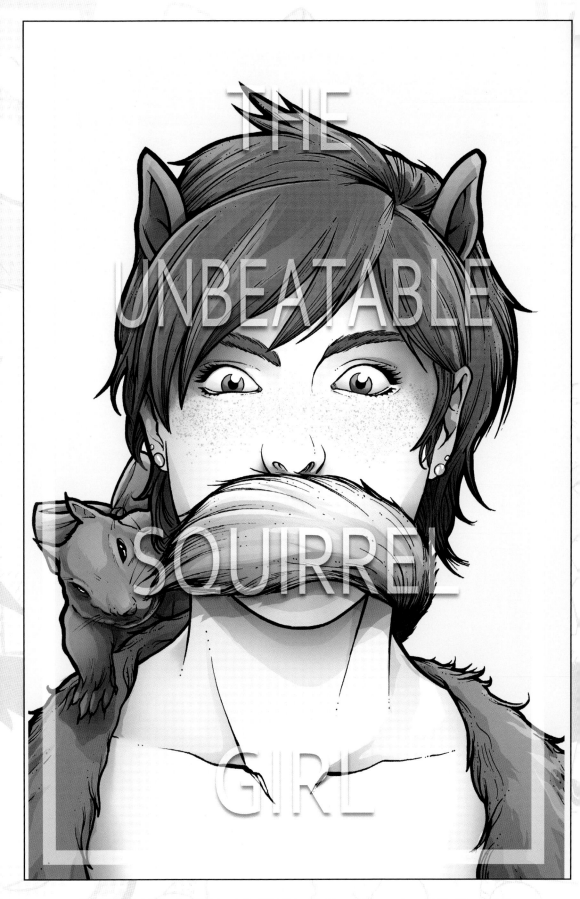

The Unbeatable Squirrel Girl vol. 2, #3 USA – Cubierta alternativa de **Matthew Waite**

The Unbeatable Squirrel Girl vol. 2, #4 USA – Cubierta alternativa de **John Tyler Christopher**

The Unbeatable Squirrel Girl vol. 2, #5 USA – Cubierta alternativa de **Michael Cho**